Un froid d'enfer

Dans la même collection

JOE R. LANSDALE

UN FROID D'ENFER

Éditions Murder Inc.
14 rue Léonce Reynaud
75116 Paris

Titre original
FREEZER BURN

Traduit de l'anglais par Joe SANDRI

*Mysterious Press books are published by Warner Books, Inc., 1271
Avenue of the Americas, New York, NY 10020.*

*Pour avoir quelques qualités, un livre comique
doit traiter de la vie et de la mort.*

Flannery O'Connor
(à propos de l'écriture
de *La Sagesse dans le Sang*)

*Il y a un type au n° 7 qui a tué son frère et qui
dit qu'il ne l'a pas réellement fait, que c'est son
subconscient qui a agi. Je lui ai demandé ce que
ça voulait dire, et il m'a dit que chaque personne
est faite de deux personnes, une que l'on connaît
et l'autre qu'on ne connaît pas.*

James M. Cain
Le facteur sonne toujours deux fois
(traduction Sabine Berritz,
Éd. Gallimard, 1948)

Dédié à la mémoire de Tomi Lewis
Repose en paix, mon ami.

PREMIÈRE PARTIE

LE BRAQUAGE

1

Bill Roberts décida de cambrioler la cabane de pétards [1], vu qu'il n'avait pas de boulot et plus un cent en poche, et qu'en prime sa mère était morte et plus ou moins lyophilisée dans sa chambre.

Enfin, pas complètement lyophilisée. En fait, elle puait, mais elle semblait tenir le coup : elle n'était qu'en partie mélangée au matelas et s'il gardait la porte fermée et qu'il dirigeait un ventilateur dans ce sens pour repousser les odeurs, ça allait encore.

La cabane en question se trouvait au bord de la nationale ; c'était la semaine du 4 Juillet, elle restait ouverte assez tard chaque soir, et après deux nuits de surveillance au cours desquelles il avait vu des tas de gens s'arrêter pour y faire leurs emplettes, Bill avait estimé que c'était le bon endroit à braquer.

Il calcula qu'il valait mieux tenter ce coup-là plutôt en fin de soirée, car à ce moment-là, il y aurait davantage d'argent dans la caisse. En prime, il s'offrirait aussi quelques pétards. Il adorait ceux qui avaient la forme d'un tipi et dégueulaient des étincelles multicolores dans tous les coins avant d'exploser. C'étaient de loin ses préférés et s'il y en avait dans cette baraque, il s'en remplirait les poches. Sinon, les Black Cat [2] et les Chandelles Romaines feraient l'affaire.

1. Chaque année, avant le 4 juillet, date de la Fête de l'Indépendance US, ces baraques fleurissent dans tout le pays, le long des routes (N.d.T.).
2. Marque chinoise de pétards distribuée aux États-Unis (N.d.T.).

Le kiosque se trouvait de l'autre côté de la nationale, presque en face de la maison où il vivait avec le cadavre de sa mère, et il ne pouvait pas se contenter de traverser la route à pied pour aller le cambrioler ; ni prendre sa propre voiture, d'ailleurs, parce que le pauvre gars qui restait assis là toute la journée à bayer aux corneilles l'avait forcément remarquée puisqu'elle était garée sous son arbre, près de sa piaule. S'il l'utilisait pour cette razzia, il mettait sa main au feu que l'autre crétin s'en souviendrait. Pas besoin d'être un spécialiste de la chirurgie du cerveau pour comprendre ça.

Une fois encore, Bill repensa à sa triste situation.

Une chose était sûre, maintenant que sa mère était morte à l'âge de dix millions d'années : impossible désormais, d'aller chercher du liquide en encaissant des chèques signés de sa main. Il s'était entraîné à imiter sa signature jusqu'à épuiser une demi-douzaine de stylos bille, mais il n'avait jamais réussi quelque chose qui lui semblait correct. À présent, les chèques s'empilaient. Il en avait déjà sept, mais il ne pensait pas pouvoir s'en tirer avec un faux. Sa mère s'était régalée d'une calligraphie bien à elle que seule une poule grattant dans une bouse de vache aurait eu une petite chance de reproduire avec une certaine authenticité.

Six mois plus tôt, cette vieille peau tenait la forme et se montrait toujours aussi radine, et voilà qu'un soir, après avoir suivi le Championnat de Catch à la télé, elle était allée au lit et ne s'était jamais relevée. Peut-être à cause des émotions suscitées par un combat particulièrement mouvementé ? Ou d'une consommation immodérée d'oursons gélifiés dont elle bourrait son corps osseux comme si c'étaient les fruits de la terre ?

Bill avait d'abord pensé signaler son décès. Puis il lui était venu à l'esprit que, dans ce cas, il perdrait la maison et n'aurait plus nulle part où habiter. Car tout appartenait à sa mère et en dehors du gîte et du couvert et des quelques ronds qu'elle voulait bien lui lâcher les jours où elle encaissait son chèque, il n'avait que dalle. Son testament le déshéritait. Elle avait tout légué à une espèce d'Institut de recherches vétérinaires qui voulait guérir les chats de leur cirrhose ou d'une connerie de ce genre...

Franchement, Bill n'en avait rien à foutre des foies des greffiers ni de n'importe quel autre morceau de leur individu. En ce qui le concernait, ces saligauds pouvaient crever la gueule ouverte. Il n'avait pas manqué de s'occuper de tous les petits protégés de sa mère, après sa mort. Et à moins que ces enfoirés se soient vu pousser des ouïes, ou qu'ils aient pensé à emporter leurs ciseaux avec eux pour s'échapper des sacs en filasse lestés de pierres où il les avait fourrés, Bill estimait qu'ils reposaient désormais tranquillement au fond de la Sabine. Plus d'ennuis hépathiques. Plus *aucun* ennui.

Oui, il avait eu raison de ne pas appeler les autorités pour les prévenir de la disparition de sa mère. Il lui avait semblé plus sage d'allumer la clim dans sa chambre, de laisser tourner le ventilo et de se tenir à carreau.

Il n'avait eu qu'un petit problème. Il avait reçu deux fois la facture d'électricité, puis un avertissement, et en fin de compte on lui avait coupé le jus. Du coup, maman avait commencé à puer sévère. Alors, il enfila ses jambes dans un grand sac poubelle noir qu'il remonta jusqu'à sa taille, il fit la même chose de l'autre côté, par la tête, puis il les attacha ensemble à l'endroit où ils se rejoignaient, à peu près à la hauteur du bide, avec la ceinture d'une de ses robes de chambre. Mais ça ne valait pas un clou pour garder la puanteur à l'intérieur. Alors, il versa une bouteille entière de Brut et ça aida un peu. Pendant un moment, elle sentit comme un gamin de seize ans en route pour son premier rendez-vous avec une gonzesse.

Mais l'after-shave finit par fermenter en même temps que maman et le tout se mit à dégager un arôme encore plus intense. Pourtant, en définitive, ça s'arrangea. Entre la clim du début, les sacs poubelle, la chaleur et l'air vicié, la vieille s'était à demi momifiée. Elle empestait toujours la mort, mais plus assez pour le chasser de la maison. On aurait juste dit, maintenant, qu'un chien était venu crever sous la véranda et qu'il avait presque fini de pourrir.

Le manque d'électricité était plus emmerdant que l'odeur. Toute la bouffe du frigo avait daubé, et le soir il devait rester assis dans l'obscurité à fumer les cigarettes de sa mère devant l'écran noir de sa télé et à bouffer des légumes en conserve. Il avait une bonne provision de boîtes, mais il n'aimait pas ça. De foutues betteraves, de foutus haricots verts, de foutus maïs en grains et de foutues patates nouvelles. Pas un pet de viande, à part quelques Beenie-Weenie [1], et il avait sauté sur le râble de ces petits coquins deux jours après que la vieille avait avalé son bulletin de naissance. Il n'avait plus, maintenant, que ces saletés de légumes et sa réserve baissait, et il avait été assez stupide pour garder toutes les betteraves pour la fin, si bien qu'il n'avait plus rien d'autre à manger. Des betteraves et encore des betteraves. Il regrettait de ne pas avoir mélangé ces satanées crottes de nez avec les autres saloperies végétariennes.

Parfois, il s'installait sur la véranda avec sa boîte et il regardait les insectes voler dans la clarté lunaire ou il surveillait les gens qui s'arrêtaient pour acheter leurs pétards à la baraque de l'autre côté de la route. Il se mit à compter les clients, à calculer à la taille de leurs sacs combien ils dépensaient, et à réfléchir à l'argent qu'il devait y avoir là-bas dans la caisse, chaque soir, au moment où son proprio fermait boutique et rapatriait tout le pognon chez lui...

À l'approche du 4 Juillet, les affaires ne cessèrent d'augmenter. Il décida d'attendre le 4 pour le braquage parce que ce serait la plus grosse journée et qu'il empocherait le paquet. S'il réussissait son coup, il pourrait peut-être régler sa note d'électricité, le téléphone et le reste, et s'arranger aussi pour payer l'eau avant qu'on la lui coupe. C'était la seule chose qu'il avait pu conserver grâce à ce qui lui restait d'argent liquide, mais c'étaient là ses dernières cartouches. Il n'avait plus que quelques dollars et il savait que cette eau lui manquerait. Il aimait bien prendre des bains, même froids, et il buvait beaucoup de flotte pour oublier qu'il avait la dalle. Il avait payé aussi la facture de la boîte aux lettres pour un an de manière à ne pas être emmerdé par le facteur. Bon, le gars se contentait de fourrer le courrier dans la boîte au bord de la route, mais Bill estimait que moins les gens s'approcheraient de la maison et mieux il se porterait, juste pour le cas où un connard aurait été capable de flai-

1. Haricots à la tomate et aux saucisses (N.d.T.).

16

rer la momie de maman depuis la nationale, quand lui-même ne sentait plus rien, habitué qu'il était à son fumet...

Comme à part lui sa mère n'avait pas de famille désireuse de la fréquenter, et qu'elle n'avait aucun ami non plus, il pensait qu'il pourrait peut-être continuer indéfiniment comme ça, à condition d'apprendre à signer les chèques à sa place ou de trouver un couillon pour s'en charger en échange de quelques miettes.

Bien sûr, ce plan avait ses limites. Au bout d'un moment, la Sécu risquait de trouver bizarre que maman ait doublé les cent ans... Mais puisqu'elle avait passé l'arme à gauche à moins de quatre-vingt dix ans, il s'imaginait qu'il pourrait tirer ses chèques pendant encore une bonne dizaine d'années avant que quelqu'un remarquât la chose et se ramenât pour organiser une fête d'anniversaire en l'honneur de la Doyenne de l'Amérique. D'ici là, il aurait des plans. Comme Butch Cassidy et Billy the Kid, il filerait peut-être en Bolivie...

Mais réfléchir à l'avenir et tout ça lui donnait la migraine. Il était au moins certain d'un truc – braquer cette cabane de pétards, c'était plutôt un bon point de départ...

Il pensa à deux de ses potes qui seraient sans doute partants pour ce coup-là. Ça ne l'enchantait guère de devoir partager avec eux, mais l'idée d'y aller seul ne lui disait rien non plus. En outre, il avait besoin d'une bagnole pour s'enfuir, et l'un de ces deux gars aurait été capable de conduire un grille-pain s'ils n'avaient rien d'autre.

Quelques jours après ce terrible brain-storming, Bill utilisa ses dernières gouttes d'essence pour se rendre en ville, où il trouva Chaplin et Fat Boy en train de bosser sur une voiture dans le garage de ce dernier. Chaplin était allongé dessous et Fat Boy lui passait des clés anglaises.

– Comment se porte notre garçon ? demanda Fat Boy à Bill.

– Bien. C'est Chaplin, là-dessous ?

– Non, c'est Raquel Welch, cria Chaplin d'en dessous. Et j'suis en train de tailler une pipe à cette tire. Comment tu vas ?

– Ça roule.

– Et ta mère, Bill ?

17

– Bien aussi. C'est qui, Raquel Welch ?

– Une de ces actrices à gros nichons. Elle doit avoir quelques kilomètres au compteur, à présent, je pense. Merde, elle est peut-être morte.

– Chaplin s'en fout, ricana Fat Boy. Aussi longtemps que ses miches ne sont pas pourries et qu'elle a un trou à un endroit quelconque...

Ils rigolèrent. Bill lança :

– Eh, les gars, ça vous dirait de faire quelque chose ? Vous savez, un petit boulot.

– Tu ne parles pas d'un truc illégal, j'espère ? s'offusqua Fat Boy. Parce que tu sais que j'mange pas de ce pain-là.

Nouvelle rigolade. Chaplin, qui était allongé sur un chariot de visite, un « sommier » comme il disait, sortit de dessous la voiture, attrapa un chiffon et s'essuya les mains.

– Alors, insista-t-il, c'est illégal ?

– Ouais, reconnut Bill. Un chouïa.

– Tant qu'on tue personne, dit Fat Boy.

– On aura besoin de flingues, mais c'est juste pour la frime.

– Mec, j'sais pas, souffla Fat Boy. J'me suis fait avec toi cette station-service à Center et t'es plutôt nerveux avec les armes. Et Chaplin, il aime trop ça. J'ai cru qu'on allait finir par descendre quelqu'un. Pas question de tirer sur un péquin. J'veux dire, si on me canarde, j'vais peut-être riposter, mais j'veux shooter aucun zigue si j'suis pas obligé.

– T'auras pas besoin, assura Bill. J'veux faire de mal à personne non plus. C'est pour le cinéma, j'te promets.

– Moi, j'suis okay pour descendre quelqu'un si y'a un bon pèze à la clé, dit Chaplin.

– C'est une baraque de pétards, expliqua Bill. Je pense qu'ils se font plusieurs milliers de dollars par jour. Je propose qu'on partage en trois.

– Combien y sont, là-dedans ? demanda Fat Boy.

– Un mec tout seul, la plupart du temps. Parfois deux. On le braque à la fermeture, on prend l'argent et on se casse. C'est du gâteau. Faudra voler une voiture, qu'on larguera quelque part avant de récupérer la nôtre. On met des masques. On fait pas de discours. On agite un pistolet. On pique le flouze et salut !

18

– Ces baraques, à l'extérieur de la ville, sont des cibles faciles, murmura Fat Boy.

– Vachement plus faciles qu'une supérette, ajouta Chaplin.

– Exact, répondit Bill. Celle-là est juste en face de chez moi. Y'a qu'à se baisser pour ramasser la mise.

2

Et c'est ainsi que le 4 juillet, quelques minutes avant dix heures du soir, heure à laquelle le marchand fermait, une Chevrolet blanche volée se gara devant sa baraque. Fat Boy était au volant, Bill assis à sa droite et Chaplin sur le siège arrière.

Fat Boy resta dans la voiture. Les deux autres en descendirent et marchèrent jusqu'au kiosque le visage dissimulé derrière des masques de Lone Ranger [1]. Une grosse dame, dans une robe hawaiienne assez large pour faire un dessus de lit où la majeure partie des habitants du Bangladesh aurait pu s'allonger et se chamailler, achetait des Chandelles Romaines, des Cierges Magiques et des allumettes.

— J'adore ces Chandelles..., dit-elle. On va dans un coin où il fait très noir, on les allume et elles sont aussi jolies que des étoiles !

— Oui, m'dame, fit le vendeur.

C'était un type osseux. Avec sa pomme d'Adam qui bougeait sans arrêt, il ressemblait à un serpent essayant d'avaler vivant un écureuil. En répondant à sa monumentale interlocutrice, il avait l'air aussi sincère qu'une pute qui jure à un client qu'elle n'a jamais laissé personne décharger dans sa bouche avant lui.

Le mastodonte femelle considéra Bill et Chaplin avec leurs masques.

— Les gars, dit-elle, c'est le 4 Juillet, aujourd'hui, pas Halloween !

1. Célèbre cow-boy de la mythologie américaine (N.d.T.).

20

– Oui, m'dame, répondit Bill. C'est juste qu'on trouve que ça nous va à la perfection.

– Eh bien, vous vous gourez.

– Ouais, et toi t'es grasse comme une foutue baleine ! répliqua Chaplin.

– Ça, par exemple !

Elle attrapa son sac de pétards et se dandina jusqu'à sa voiture. Elle se glissa derrière son volant avec un grognement. Elle démarra. À présent, Bill et ses camarades étaient seuls avec le marchand.

Celui-ci ricana :

– Si je devenais aussi gros, je voudrais que quelqu'un me descende, me dépèce et cloue ma peau sur le mur d'une grange pour s'entraîner au tir !

– Ah, ah, fit Bill. Donnez-moi quelques Chandelles Romaines. Et une poignée de ces Black Cat.

– Et ça fait combien, une poignée ? demanda l'autre.

– Deux de ces longs paquets, dit Bill.

– Vous sortez d'une espèce de fête ? voulut savoir le vendeur.

– Ouais, un truc comme ça, dit Bill.

L'homme s'occupa de rassembler la commande, puis il posa les articles devant lui.

Alors, Bill sortit son pistolet et le pointa sur lui.

– Pendant que t'y es, pourquoi tu mettrais pas aussi sur le comptoir tout le fric que t'as dans ta caisse ? Et je le préfèrerais dans un sac.

– Espèce de petite merde ! s'exclama le gars.

– Attention à ce qui sort de ta putain de bouche, grommela Chaplin, en braquant à son tour son revolver sur lui, ou tu risques de la retrouver de l'autre côté de ta tête !

– Du calme, dit Bill.

– C'est mon stand de pétards que vous voyez là, protesta le vendeur. Tout ce que je possède, je le gagne ici, à part quelques petits boulots agricoles ici et là. J'ai pas d'emploi stable. Et votre histoire de fête, c'était des conneries.

– Ouais, on s'est extirpés du cul de cette grosse pouffiasse pendant qu'elle regardait pas, gloussa Chaplin.

– Petites merdes... Petites merdes..., répéta le gars. C'est tout ce que vous êtes ! Vous dévalisez un homme qu'a besoin de tout c'qu'il gagne, et vous vous en foutez. J'connais même des nègres qui oseraient pas m'faire ça !

– Bon sang, tu me brises le cœur ! dit Chaplin.

– Aboule ton pognon ! ordonna Bill.

Le marchand de pétards lui jeta un regard de défi, trifouilla un instant sous son comptoir et en ressortit une boîte en fer. Il l'ouvrit, prit l'argent, le posa devant lui.

– T'as qu'à te débrouiller tout seul pour le sac, grommela-t-il.

– Naan, répondit Bill. Tu me donnes un des tiens, et t'ajoutes ces Chandelles et ces pétards, et si t'as ces petits trucs en forme de tipi qui crachent des couleurs et qui pétaradent, t'en mets aussi. Sinon, je t'explose la bite.

C'est l'instant que choisit l'élastique du masque de Bill pour rendre l'âme. Lone Ranger sauta comme un ressort et voleta jusqu'au comptoir sous le nez du vendeur. Sauf que celui-ci ne s'intéressa pas au masque. Ce fut le visage de Bill qu'il regarda.

– Bordel, mais je t'ai déjà vu, toi ! s'exclama-t-il, tout fier de lui. T'habites pas de l'autre côté de la nationale ? Ouais. C'est ça. J'te connais !

Bill considéra Chaplin. Chaplin et Bill considérèrent le gars qui blêmit subitement.

– T'as merdé, mec, dit Chaplin.

– Fais pas ça ! cria Bill.

Mais Chaplin colla une balle entre les deux yeux de leur homme.

Celui-ci fit un petit bond en arrière, ses jambes s'affaissèrent sous lui comme si tous ses os s'étaient brusquement fait la malle et il s'écroula derrière son comptoir, la tête sur un genou. Au passage, une de ses mains renversa une boîte de pétards. Finalement, il se tint aussi tranquille que la terre sur laquelle il reposait.

– Oh, mon Dieu, souffla Bill. Tu l'as tué !

– Il savait qui t'étais.

– Je ne voulais pas de mort.

– T'as qu'à prier un peu pour lui. Peut-être qu'il se remettra ?

Abasourdi, Bill restait planté là comme un piquet.

– Bon sang, grouille-toi et récupère le pognon ! cria Chaplin.

Bill s'exécuta. Il fourra l'argent dans un sac, puis des Chandelles Romaines et divers pétards dans un autre. Il repéra des chapelets et des tipis et il les ajouta au reste. Il fit les poches du mort et y trouva une pièce de vingt-cinq cents. Il lança le sac de pétards à Chaplin, puis ils coururent tous les deux vers la voiture et ils s'engouffrèrent sur la banquette arrière.

– J'vous ai entendu tirer, dit Fat Boy. Vous l'avez descendu, c'est ça ?

– On n'avait pas le choix, répondit Chaplin.

– J'voulais pas d'un truc pareil, souffla Bill.

– C'est bien pour ça que je déteste les jobs où on a besoin de flingues, dit Fat Boy. Ouais, j'ai horreur de ça ! (Il démarra sur les chapeaux de roue.) Vraiment. Je savais que quelqu'un allait se faire dégommer.

– Bon, grommela Chaplin, c'est pas toi, alors c'est cool.

– Non, c'est pas cool, dit Fat Boy. Pas cool du tout.

– Ça n'a plus d'importance, maintenant, reprit Chaplin, en se mettant à compter l'argent. Putain, il doit bien y avoir trois mille dollars là-dedans !

À cet instant, on entendit une forte explosion, et l'arrière de la voiture fit une brusque embardée à droite. La Chevrolet quitta la route, plongea dans le fossé où, après un tonneau, elle retomba sur ses roues à la lisière des bois.

Bill lécha le sang sur ses lèvres et laissa le temps à son estomac de se remettre à la bonne place. Il avait mordu le dossier du siège devant lui, mais toutes ses dents étaient intactes et sa langue n'était pas sectionnée. Il s'était seulement écrasé les lèvres.

À côté de lui, Chaplin était parfaitement immobile. Au moment de l'accident, le sac des Chandelles Romaines était sur ses genoux et, à l'instant du choc, l'une d'elles était venue s'encastrer dans une de ses orbites. Il était affaissé sur lui-même, avec cette saloperie de fusée dans l'œil. Une de ses mains était serrée autour d'elle comme pour l'arracher, mais il n'avait pas vécu assez longtemps pour ça. Le sang dégoulinait le long du pétard, puis sur ses bras et sur ses genoux et formait une tache qui grossissait sur la banquette de la voiture.

Fat Boy avait le nez fendu et ensanglanté et son front arborait une grosse bosse qui aurait soutenu un chapeau. Il se tourna en se tenant la tête et considéra Chaplin.

— Merde! souffla-t-il. Merde!

Bill ouvrit la portière, sortit en titubant, et s'écroula dans l'herbe. Fat Boy le suivit. Il s'appuya contre la voiture et dit:

— Crevé. Ce putain de pneu a crevé. Ce pauvre con de Chaplin aurait pu piquer une bagnole un peu moins pourrie!

Bill resta un moment sans bouger, puis il se releva. Avec son canif, plus quelques coups de pied bien ajustés, il ouvrit le coffre, en sortit le cric, l'araignée et la roue de secours.

— Qu'est-ce que tu fabriques? demanda Fat Boy.

— D'après toi?

— Chaplin est mort!

— Ça le ressuscitera pas qu'on change pas ce pneu. Faut qu'on se tire d'ici.

Bill serra le frein à main et commença à soulever le pare-chocs avec le cric pour dégager la roue. C'était une vraie galère dans l'obscurité. Fat Boy tournait autour de la voiture comme un canard désorienté. Il semblait vouloir aller quelque part, mais sans trouver exactement la direction à prendre...

— Amène ton cul par ici et aide-moi avec ces boulons, ordonna Bill.

Fat Boy s'approcha en traînant la jambe, s'empara de l'araignée et se mit au travail. Il dévissa les boulons, se déchira deux jointures dans l'opération, ôta la roue à plat. Bill la remplaça. Fat Boy remit les boulons, puis les resserra quand Bill abaissa la voiture. Puis Bill roula le pneu crevé jusque dans les bois, referma le coffre et le bloqua avec un cintre qu'il y avait trouvé. Ils remontèrent dans la voiture cabossée et Fat Boy redémarra.

3

Alors qu'ils filaient sur la nationale, ils croisèrent une voiture de police qui fonçait gyrophare allumé et sirène hurlante.

— Merde ! souffla Fat Boy. C'est pour nous ?

— Y'a des chances. Au moins pour le coup de feu. Quelqu'un a dû l'entendre et téléphoner. Tu crois qu'on nous a vus, dans le noir ?

— Faisait pas si noir que ça, répondit Fat Boy. Et la baraque était bien éclairée. Faut planquer cette bagnole quelque part.

— On pourrait pas la larguer près de la tienne ?

— Trop loin... Dans une minute les flics vont nous coller au cul comme des hémorroïdes.

Fat Boy repéra une petite route sur la droite et s'y engagea. Ils s'enfoncèrent dans une épaisse forêt. La lumière de leurs phares allumait des étincelles autour d'eux. Bill comprit qu'il y avait de l'eau dans les bois.

— Où on est, putain ? grommela-t-il.

— J'suis jamais venu ici, dit Fat Boy, mais je sais que c'est un coin à marécages. Je connais des nègres qui y pêchent tout le temps. D'après eux, on ne retrouve jamais quelqu'un qui vient se planquer ici... Paraît qu'il y a tellement de cadavres, par là, que si tu t'amusais à les déterrer tous pour les compter, t'en aurais assez pour repeupler une ville fantôme...

Fat Boy jeta un coup d'œil dans le rétroviseur et s'exclama :
— Bordel !

Bill regarda par-dessus son épaule.

Des gyrophares. Soudain, une sirène se mit à gueuler. Sur le siège arrière, le corps de Chaplin jouait au haricot sauteur. Sa main morte serrait la Chandelle Romaine plantée dans sa tête comme si elle tenait un télescope devant son œil.

– Putain, dit Fat Boy. Le flic a fait demi-tour ! Quelqu'un a dû lui décrire la voiture.

– Sans doute un de mes foutus fouinards de voisins. Montre à ce connard que tu sais conduire !

Fat Boy écrasa l'accélérateur. Leur Chevrolet bondit en avant. Ses phares révélèrent soudain un long virage, Fat Boy réussit à le négocier dans un nuage de poussière qui prit l'aspect d'une brume sanglante dans la lueur rougeâtre de leurs feux arrière. Chaplin tressautait comme s'il était tout excité par l'aventure.

Derrière eux, la voiture du shérif adjoint tangua dangereusement, puis se stabilisa. Et elle continua à gagner du terrain.

Un autre tournant. Fat Boy le passa, le pied au plancher, le nez en avant, les oreilles en arrière, les couilles serrées comme les deux petits poings d'un bébé qui pique sa crise.

Cette fois, le flic rata son coup. Il défonça une clôture de barbelés et embrassa un arbre. L'avant de sa bagnole devint mou comme du beurre et se métamorphosa en accordéon. De la vapeur jaillit en sifflant de dessous le capot froissé et le radiateur cracha un petit nuage blanc en forme de champignon.

Quand Bill se retourna dans la courbe suivante, il découvrit, stupéfait, que la voiture de police faisait marche arrière et revenait sur la route. Elle n'avançait plus vraiment comme si elle avait une fusée dans le cul, mais elle avait repris la poursuite. Son capot claquait comme une langue de pute.

– Oooh, l'a vraiment pas eu de chance, notre ami ! dit Fat Boy en riant.

Au moment où ils franchissaient le virage, ils entendirent un bruit sourd, un grincement et un *boum-boum-boum-boum*.

– C'est ce foutu pot d'échappement qui traîne sur la route, dit Fat Boy. Mais c'est pas cette saloperie qui va nous arrêter !

Et pourtant, finalement, dans la courbe suivante, le pot se détacha et vint frapper le pneu gauche, qui éclata. La Chevrolet qui filait à près de cent trente à l'heure fit un tête-à-queue et quitta la route, enfonça une clôture, écrasa quelques arbustes, flanqua une trouille bleue à deux grenouilles et plongea dans le marécage.

Elle coula d'une curieuse façon. Blanche et brillante, elle tourna un moment sur elle-même à la surface de l'eau, comme en lévitation, et puis elle piqua brusquement du nez et se mit à danser, tel un bouchon, près d'une souche de cyprès noirâtre.

Des créatures s'agitèrent autour d'elle. Elle cracha de la vapeur. Des cercles concentriques ridèrent la surface, et des grenouilles s'enfuirent en croassant. La pleine lune se reflétait sur le marais, comme si Dieu y avait laissé tomber une assiette graisseuse. À l'intérieur de la Chevrolet, le corps de Chaplin était venu s'écraser sur Bill et Fat Boy, à l'avant. Bill le repoussa, bloqua sa tête avec son pied, enjamba le siège et baissa une des vitres arrière, tandis que la Chevy s'enfonçait lentement dans les ténèbres.

Bill émergea de l'épave le premier. Arborant maintenant un tatouage de volant sur le front juste à côté de sa bosse colossale, Fat Boy écarta le cadavre de Chaplin qui flottait dans l'habitacle et sortit à son tour.

Quelques instants après, la voiture coula, et avec elle les pétards, trois mille dollars et Chaplin.

Les deux hommes nagèrent dans l'eau tiède, aussi épaisse qu'un pot-au-feu bien garni. Des algues et des plantes aquatiques s'enroulaient autour de leurs chevilles pour tenter de les retenir tandis qu'ils se dirigeaient vers la route. La voiture cabossée du shérif adjoint pila sur le bas-côté. Et la fumée de dessous son capot s'en donna à nouveau à cœur joie. Le flic, son chapeau de cow-boy collé de guingois sur le crâne, en descendit. Il dégaina son pistolet et se mit immédiatement à les canarder.

Bill et Fat Boy firent demi-tour et s'éloignèrent de la rive dans la direction opposée. Les projectiles, autour d'eux, sautaient comme du pop-corn dans une poêle. Ils nagèrent un moment et ils atteignirent des hautes herbes ; les attrapant à pleines mains, ils se glissèrent dans un labyrinthe de joncs, puis sur une langue de terre et dans un bosquet d'arbres.

Le shérif adjoint rechargea son arme et tira de nouveau. Les balles dansaient sur l'eau, mais au bout d'un moment Bill et Fat Boy comprirent que, pour l'instant, c'était tout ce dont elles étaient capables.

– On est hors de portée, murmura Fat Boy.

Le flic pénétra dans la flotte en pataugeant et commença à les insulter.

– *Fumiers !* (Sa voix, forte et claire, portait loin. Il tenait son pistolet au-dessus de l'eau, les arrosait de plomb au hasard et hurlait sans discontinuer :) *Fumiers ! Fumiers !*

Ils ne lui laissèrent pas le temps de revenir à portée de tir. Ils se faufilèrent à travers les arbres et ils entrèrent de nouveau dans l'eau, jusqu'à la ceinture, vers une autre île où d'énormes racines plongeaient dans le marécage comme des anacondas saisis en pleine action par un photographe animalier. Sur la terre ferme, des saules noueux se tordaient au milieu des souches de cyprès. Plus loin, poussaient de grandes herbes, des joncs et des broussailles. L'obscurité était totale.

Le marécage puait comme des latrines à ciel ouvert, et les reflets de la lune le peignaient d'argent. À certains endroits, le long de la berge, l'eau bouillonnait. Quand ils s'approchèrent, Bill aperçut de petites têtes dressées juste au-dessus de la surface ; les rayons lunaires, qui se reflétaient dans leurs yeux morts sans y ajouter la moindre brillance, ne laissaient planer aucun doute sur ce qu'ils étaient : les prunelles noires et éteintes du Diable en personne, serties dans les gueules rectangulaires d'au moins vingt-cinq mocassins d'eau...

– Par les veines bleues de la queue de Jésus ! s'exclama Fat Boy.

Bill recula en battant des pieds pour regagner la rive, derrière lui. Puis il entendit :

– *Fumiers ! Fumiers !*

Et l'eau se remit à chauffer sous les balles. Alors, Bill repartit en pataugeant vers les serpents. Fat Boy, lui, paniqua. Il se mit à hurler et frappa l'eau pour essayer d'effrayer les mocassins. En vain. Loin de les impressionner, ses mouvements désordonnés semblèrent les exciter encore plus et ils se précipitèrent dans sa direction.

Leurs têtes sortaient du marais comme des périscopes malfaisants.

Fat Boy plongea, peut-être pour essayer de passer en dessous d'eux, ou pour vérifier cette vieille légende qui prétendait qu'un serpent était incapable de mordre sous l'eau, mais ils le suivirent et, un instant plus tard, quand il refit surface, plusieurs l'avaient eu – autant pour le mythe ! Il continua à hurler tandis qu'ils plantaient encore et encore leurs crochets dans sa chair.

Fat Boy cessa de lutter. Il nagea vers la terre ferme, plusieurs serpents attachés à son corps. Il se hissa sur la berge en s'aidant d'une racine. Il n'était pas encore complètement sorti de l'eau quand le shérif adjoint cria de nouveau « *Fumiers !* » et tira sur eux.

Et – peut-être par hasard – il logea une balle dans le dos de Fat Boy.

Bill, qui avait atteint l'île avant lui, l'observa de derrière la souche de cyprès qui le cachait. Fat Boy rampa sur la rive, et les serpents le mordirent à nouveau avant de disparaître dans l'eau. Il roula sur le dos et resta allongé sous les saules. Le clair de lune colorait de jaune son visage.

Le flic, qui était arrivé à mi-chemin, moitié pataugeant et moitié nageant, vit les petites têtes des serpents qui venaient dans sa direction. Il lâcha encore deux ou trois « *Fumiers !* » bien sentis et battit illico en retraite. Il atteignit la berge avant eux et aspergea d'une demi-douzaine de balles supplémentaires les bois qui dissimulaient les fuyards. Il continua à faire feu et à recharger et Bill comprit qu'il avait deux revolvers. Toutefois, son habileté au tir ne s'avéra pas meilleure que son langage et Bill, alors, fut certain qu'il avait touché son compagnon par pur accident.

Le policier fit claquer une de ses armes vides dans leur direction et il cria :

– Fumiers ! Je vais chercher mon fusil ! Z'avez pigé, fumiers ?

Il disparut et Bill l'entendit qui retournait vers sa voiture en pataugeant et en continuant à jurer.

Bill sortit de derrière sa souche et considéra Fat Boy. La tête de son ami était devenue aussi énorme qu'une pastèque. Tout son corps avait enflé. Avec sa bosse et l'empreinte du volant, il ressemblait à une espèce de monstre venu de l'espace.

Fat Boy se tourna vers lui. Ses yeux étaient à peine visibles, perdus dans son visage bouffi. Il murmura :

— Y'en a un qui m'a mordu les couilles. Faut que tu aspires le venin.

— Ils t'ont mordu partout, répondit Bill.

— Mais y'en a un qui m'a bouffé les couilles... répéta Fat Boy.

— On s'en fout, où ils t'ont mordu ! Et t'as reçu une balle, aussi.

— *Y'en a un qui m'a bouffé les couilles...* Oh, merde ! J'vais pas m'en sortir.

Puis ses yeux devinrent aussi ternes et aussi noirs que ceux des mocassins.

Un nuage dissimula la lune un instant.

4

La lune disparut un moment derrière les nuages. Bill laissa Fat Boy où il était et il s'enfonça dans le marécage. Il avait l'impression d'être un rat d'égoût se frayant un chemin dans un tuyau d'évacuation bouché par la merde. Le marais semblait sortir de nulle part : on marchait sur de la terre et la seconde suivante on se retrouvait dans l'eau jusqu'au cou, au milieu des herbes... et peut-être des mocassins.

Bill s'efforçait de ne pas penser à ces saletés. Il comprenait ce qu'avait ressenti Fat Boy quand il avait été mordu aux testicules. Au moment de crever, t'as simplement pas envie d'en prendre plein les couilles... Un jour, son paternel lui avait dit qu'il pouvait faire un paquet de choses, dans la vie, mais qu'il ne devait jamais laisser quiconque poser la main sur ses bijoux de famille. Bill ne savait trop si cette recommandation s'appliquait au combat de rue ou à la sexualité. C'était à peu près le seul véritable conseil que son géniteur lui eût jamais donné, parce qu'il avait pris la tangente quand Bill avait douze ans. Vu que le malheureux devait se taper la vieille peau en permanence, le gamin avait compris sa décision et n'en avait pas trop souffert. En fait, il était même fier que son père eût abandonné le navire. Luimême n'avait jamais trouvé le courage de partir. Il avait dû attendre que ce soit sa mère qui lui fausse compagnie... Ça lui avait paru bizarre de ne plus vivre sous le joug d'une femme autoritaire. Il s'y était tellement habitué en grandissant qu'il trouvait ça aussi naturel que d'aller aux toilettes.

Bill entendit soudain quelque chose qui glissait dans l'eau à côté de lui. Il faillit en chier dans son froc, mais il continua à progresser en pataugeant. Bientôt les nuages qui dissimulaient la lune s'éloignèrent ; seuls des lambeaux de brume chatouillaient encore son gros visage rond – on aurait dit un adolescent déguisé avec des moustaches en coton.

Il finit par atteindre un nouvel ilôt où il s'allongea pour se reposer. Il écoutait des choses qui bougeaient autour de lui dans les broussailles et au milieu des saules et des souches de cyprès – de grands arbres coupés des années auparavant. Et il percevait aussi une litanie désormais familière :

– *Fumiers ! Fumiers ! Fumiers !*

Les cris du flic portaient loin sur le marécage, aussi nets et clairs que s'il s'était baladé avec un porte-voix. Ce connard était devenu carrément fou ! Peut-être qu'il avait pété les plombs en s'assommant un bon coup lors de son accident ? Bill se souvenait de ce qu'il leur avait promis un moment plus tôt : il allait chercher son fusil dans sa bagnole. Et il devait avoir aussi rechargé ses pistolets...

Il se leva et examina la direction dans laquelle il pensait avoir entendu le dernier *Fumiers !* Et, par là, en effet, une lueur dansait dans l'obscurité au milieu des saules et des joncs. Le shérif adjoint avait une lampe torche. Mais ce salopard ne *pouvait* pas le suivre à la trace, car il était impossible de pister quelqu'un dans ce bourbier. Ce fils de pute avait seulement eu beaucoup de veine. Ou peut-être qu'il avait opté pour l'itinéraire le plus logique – les petites îles qui parsemaient le marécage.

Rampant sur les mains et sur les genoux, transpirant tellement que son visage lui donnait l'impression de s'être transformé en tartine beurrée, Bill franchit la petite bande de terre et se glissa dans l'eau dans la direction opposée au flic, comme s'il était lui-même devenu un mocassin. Il nagea vite et aussi silencieusement que possible, toujours plus loin vers le cœur de cet enfer.

Un peu plus tard, il attrapa une souche de cyprès percée d'un trou. À l'instant où il s'y accrochait, il vit à la lueur de la lune deux yeux qui le fixaient depuis l'intérieur de la cavité. C'était la tanière d'un opossum – qui lui montra les dents. Bill contourna le bois mort et s'y retint de nouveau, de l'autre côté du trou, et il espéra que l'animal ne sortirait pas pour l'attaquer.

À la surface de l'eau, il aperçut des mocassins qui filaient vers l'îlot qu'il venait juste d'abandonner. Il entendait le flic qui avançait en faisant un boucan d'enfer et en jurant sans discontinuer. Choqués, peut-être, par un tel langage, les serpents rebroussèrent immédiatement chemin.

Planqué derrière sa souche, Bill vit le shérif adjoint se diriger vers l'îlot, avec son fusil au-dessus de sa tête, comme un porteur indigène. Il psalmodiait toujours ses sempiternels *Fumiers! Fumiers!*

Un instant plus tard, le dingue prit pied sur la terre ferme et s'ouvrit un chemin dans la végétation en continuant à jurer. Bill se remit à nager vers les profondeurs du marais et tenta de rejoindre une autre île, très à l'écart. Les insultes le poursuivaient.

Soudain, ivre de fatigue, il envisagea un instant d'abandonner, tout simplement. Mais la vue d'un petit alligator le fit changer d'avis. Il découvrit qu'il avait en lui des ressources insoupçonnées. L'alligator ne s'intéressa pas à lui. Revigoré, Bill accéléra le rythme, tout en réfléchissant aux goûts particuliers de ces animaux qui adoraient capturer des proies, les entraîner dans les profondeurs et les fourrer dans des trous pour les laisser pourrir avant de s'en repaître.

Au bout d'un long moment, Bill prit pied sur un nouvel îlot et s'y allongea. Il finit par s'endormir.

À son réveil, ses yeux clignèrent sous la lumière du jour qui brillait à travers un bosquet de chênes noirs et de saules.

Son visage était recouvert de moustiques.

5

Les moustiques s'étaient offert un vrai festin. Les lèvres de Bill étaient tout enflées et le reste de son visage n'était pas dans un meilleur état. Sa peau lui faisait penser à un sac d'ampoules électriques piétiné par un salopard juste pour le plaisir. Allongé là, oppressé par la chaleur moite, il souleva une main avec difficulté pour chasser les insectes. Mais ils revinrent aussitôt en rangs serrés comme une nuée de mendiants sollicitant quelques pièces.

Bill passa ses doigts sur son visage et constata avec stupeur ce que les moustiques en avaient fait. Il avait l'impression de palper un exercice de travail manuel réalisé avec de la colle, des pierres, des pois cassés et des coquillages. Il se releva en chancelant, marcha un peu, et découvrit un veau mort qui gisait au milieu des marigots. L'animal était couvert de boue, de moustiques, de vers de terre, de fourmis et de mouches. Bill se demanda ce que les fourmis et les vers de terre fabriquaient là. Bordel, comment avaient-ils bien pu arriver sur cet îlot? Étaient-ils, comme lui, des ratés venus finir ici leur errance – n'ayant nulle part où aller et rien d'autre à se mettre sous la dent qu'un veau stupide qui s'était glissé sous une clôture pour trouver une herbe plus tendre, s'était égaré dans le marais et y avait laissé la vie?

Mais maintenant qu'il y pensait, il décida qu'il n'avait rien à voir avec eux. Non, il ressemblait plutôt à ce pauvre veau. Parti en quête d'un monde plus verdoyant, il se retrouvait à présent le

34

visage charcuté par les insectes et le cul en compote. Et l'eau n'avait pas non plus arrangé ses chaussures ! Il se baissa et examina ses semelles qui foutaient le camp. Ses pieds se sentaient très mal dans ces grolles ramollies, défoncées et foutrement inconfortables.

Bill considéra le veau et, l'espace d'un instant, envia les insectes. Même pourrie, cette viande avait encore l'air appétissante. Il était affamé, faible et très en colère. Il n'avait même pas un chewing-gum ! L'eau lui venait à la bouche quand il repensait à ces betteraves en boîte qu'il avait snobées, chez lui.

Merde, il n'avait pas prévu que les choses prendraient cette tournure ! Sa mère avait raison. Il était con. Elle disait que c'était pour ça qu'elle préférait donner tout ce qu'elle possédait pour sauver les foies des chats, parce qu'un foie pouvait être réparé, mais certainement pas lui.

Bill soupira et s'apitoya un moment sur son sort. Il avait eu un paquet de fric entre les mains, et il l'avait perdu dans l'accident. Et les pétards aussi. Il avait paniqué. Il n'avait même pas pensé à récupérer le pognon en sortant de la bagnole ! Et maintenant, leur butin se trouvait quelque part au fond du marais. Un alligator pourrait toujours jouer au Monopoly avec.

Les moustiques étaient si féroces que Bill fut obligé d'abandonner la terre ferme pour se réfugier dans l'eau. De l'autre côté de l'îlot, c'était plus profond, mais il décida quand même de partir par là pour la simple raison qu'il ne voulait pas revenir en arrière.

À l'heure actuelle, le shérif adjoint avait certainement appelé des renforts, à moins qu'il fût encore à errer comme un fou furieux dans le marais, à agiter son fusil au-dessus de sa tête et à tirer au pistolet, à foutre la trouille aux mocassins et à traiter de *fumier* tout ce qu'il voyait...

Tout en nageant, Bill essaya d'évaluer ses chances et décida finalement qu'elles n'étaient peut-être pas trop mauvaises. Certains de ses voisins avaient sans doute vu la Chevrolet, mais ça ne signifiait pas qu'ils l'avaient reconnu, lui. Même si on retrouvait le corps de Fat Boy – et c'était inéluctable – et qu'on repêchait Chaplin au fond du marais avec sa Chandelle Romaine

35

plantée dans l'œil, ça ne l'impliquerait pas nécessairement dans cette histoire. S'il réussissait à sortir d'ici, à rentrer chez lui et à se faire oublier, l'affaire suivrait peut-être son cours sans lui... Les flics auraient sans doute des soupçons, mais ça n'avait rien à voir avec des faits établis. En réfléchissant un peu, il parviendrait peut-être à récupérer la voiture que Fat Boy avait planquée... Et puis, non, ce n'était pas très malin. Elle était au nom de son ami, et il avait intérêt à rester à l'écart de tout ça. Il essaya de se rappeler s'il avait laissé quelque chose à lui dans cette foutue bagnole, mais rien ne lui vint à l'esprit, à part un emballage de Baby Ruth [1], et il ne savait pas si les empreintes marquaient là-dessus. Peut-être, si elles étaient barbouillées de chocolat ? Mais non, il se souvenait maintenant qu'il l'avait balancé par la fenêtre. Ça lui remonta le moral. Peut-être que, finalement, la situation se présentait mieux que ce qu'il avait cru.

Bien sûr, il allait devoir faire quelque chose de sa vieille. Au cas où les flics se pointeraient pour perquisitionner chez lui. Ils pouvaient très bien remonter jusqu'à lui pour une raison ou pour une autre, mais s'ils ne trouvaient rien dans sa piaule, il s'en sortirait. Sauf qu'une mémée en train de pourrir dans sa chambre, emballée dans des sacs poubelle, leur mettrait forcément la puce à l'oreille... Il lui fallait imaginer une solution pour se débarrasser d'elle. La filer à bouffer à des chiens ou quelque chose... Y'avait forcément un moyen.

Mais s'il avait été identifié ? Si les poulets étaient déjà venus fouiller sa piaule et qu'ils étaient tombés sur maman et son odeur sublime ? Ils étaient peut-être en planque chez lui, à l'attendre.

Bill continua à réfléchir à tout ça pendant un bon moment, son esprit sautant d'une pensée à une autre, sans se fixer sérieusement sur aucune.

Il plongea et refit surface avec une poignée de vase dont il s'enduisit le visage et la nuque pour tenir les moustiques à l'écart. Ce fut plutôt efficace. Le nuage de ces foutues bestioles diminua, à défaut de disparaître.

---

1. Une barre chocolatée (N.d.T.).

Il nagea jusqu'à des billes de bois, au milieu du marais, et s'y retint un instant. Les rondins pourrissaient. Ils avaient dérivé jusqu'à cet endroit où le courant était quasi inexistant et ils avaient formé un barrage, comme pour se reposer. Une bouteille d'eau de Javel à laquelle était attaché un fil de pêche flottait parmi eux. Sans doute une ligne de fond bricolée par quelqu'un. Il tira dessus pour voir s'il pouvait récupérer un poisson, mais il n'y avait même plus d'hameçon. Les éventuelles proies de cette ligne s'étaient libérées depuis longtemps. Il lâcha la bouteille, qui s'éloigna lentement et commença à se couvrir de mousse verte.

Après une quinzaine de minutes de pause au milieu des rondins, à la disposition des moustiques qui avaient découvert un bout de chair sans protection au sommet de son crâne, Bill reprit son errance.

Il atteignit une nouvelle langue de terre, la franchit, pataugea, nagea, et recommença, encore et encore, jusqu'à ce que le soleil fût au zénith. Il était si affamé, maintenant, que s'il avait été assez souple, il aurait été capable de se bouffer les couilles.

Finalement, le marais se rétrécit, puis disparut, et Bill se retrouva devant une clôture en barbelés et un pâturage détrempé. C'était peut-être de là que le veau était parti à l'aventure pour tenter sa chance.

Bill s'engagea dans la prairie, marcha dans une bouse, croisa des vaches, et, au début de l'après-midi, arriva à l'extrémité du champ, devant une autre clôture. Il passa dessous et continua. Le sol était plus ferme. Le marais n'était plus qu'un souvenir. Les moustiques étaient moins nombreux et moins agressifs. Il se sentait faible, il crevait de faim, et les piqûres qui couvraient sa tête lui faisaient un mal de chien. Il avait l'impression qu'on lui avait ratissé le visage.

Il parvint à une rangée d'arbres bordant un ruisseau au courant relativement limpide. Il s'agenouilla sur la rive et but dans ses mains en coupe. Sa langue était tout enflée et elle le brûlait. Le contact de l'eau fut plutôt agréable, mais celle-ci avait un curieux arrière-goût de cuivre.

Peut-être qu'il avait avalé la flotte du marais et que ça l'avait rendu malade, ou peut-être qu'il avait dormi avec la bouche ouverte et qu'une bande de moustiques s'était offert un sandwich à la langue et que tout ça lui avait abîmé les papilles?

Bon, il s'en foutait. Comme il avait encore soif, il y replongea les mains pour boire de nouveau, et cette fois, il se rendit compte que ce drôle de goût ne venait pas de sa langue. Il examina l'amont du ruisseau, et découvrit qu'une espèce de voile recouvrait l'eau, et que ce voile était sombre, de la couleur d'un sirop contre la toux. Bill longea la rive dans cette direction, dépassa un coude et se figea. Là, dans le courant, flottait le shérif adjoint, ses chevilles entortillées dans les plantes rampantes.

Le sommet de son crâne s'était fait la malle.

Bill s'accroupit pour étudier le cadavre. La mâchoire de l'homme manquait aussi. Bill devina qu'il avait dû trébucher avec son fusil à canon scié à la main, et que le coup était parti et l'avait touché sous le menton – lui interdisant à jamais de jurer et de patauger dans les marais.

Tout d'abord, il se sentit fou de joie, et puis il se dit que si le shérif était porté manquant, il y aurait certainement une chasse à l'homme. Peut-être était-elle même déjà commencée, car les flics devaient passer la région au peigne fin, à la recherche des assassins du marchand de pétards. Et quand ils retrouveraient leur collègue, oh mon vieux, ils allaient être furieux!

Bien sûr, cela ne signifiait toujours pas qu'ils le savaient impliqué dans l'affaire. S'il se montrait prudent, il avait des chances de passer inaperçu.

Il franchit le ruisseau et grimpa sur l'autre rive en rampant. Là, il jeta un coup d'œil à travers la mince rangée d'arbres qui la bordait.

Ce qu'il découvrit l'étonna.

DEUXIÈME PARTIE

FROST

6

Devant lui s'étendait une vaste prairie dont l'herbe rase, brûlée par l'été, avait pris la couleur d'un biscuit apéritif. Lorsqu'il s'y engagerait, il le savait, il aurait l'impression de piétiner des corn flakes. Un certain nombre de caravanes et de remorques argentées aux flancs bariolés de couleurs vives, accrochées à des tracteurs de semi, étaient garées dans ce champ, ainsi qu'un vieux break et un camping-car.

Sur les remorques étaient dessinés des personnages étranges, des animaux sauvages et des serpents. L'une d'elles annonçait en lettres flamboyantes CURIOSITÉS DU MONDE.

Une autre se trouvait un peu à l'écart, vers la droite, comme placée là pour une affectation spéciale. Sur son flanc, une peinture représentait un homme primitif, trapu et barbu, à l'air farouche, enchâssé dans un bloc de glace. Il avait la peau bleue et les cheveux noirs, et sa prison transparente était d'un bleu plus clair.

Au dessus, en lettres en forme de glaçons, était écrit L'HOMME DES GLACES.

Des gens se déplaçaient entre les véhicules et même de l'endroit assez éloigné où il était caché, Bill se rendit compte qu'ils n'étaient pas normaux. Parmi eux, il y avait un type grand et maigre avec une tête en pointe d'épingle, vêtu d'une salopette, et une femme à barbe dans une robe verte décorée d'un motif plus foncé.

Bill distinguait mal les autres, mais il devinait qu'ils étaient tous très laids. L'un d'eux marchait à quatre pattes avec une colonne vertébrale arrondie en fer à cheval. Un nain, coiffé d'un feutre, se collait à la femme à barbe comme s'il voulait disparaître sous sa robe.

Bill redescendit dans le ruisseau et contempla un instant le flic mort. *Que faire, à présent ?* Il se sentait épuisé ; le lit du petit cours d'eau était frais ; à un endroit, il y avait une espèce de creux où la terre était douce et humide, et sans même s'en rendre compte, Bill s'y lova confortablement.

Il sombra aussitôt dans le sommeil.

À son réveil, il mourait de soif et il avait une faim de loup. Il comprit qu'il n'avait pas rêvé. Il commençait à être tard, et la lumière avait diminué ; en cette saison, la nuit tombait vers vingt et une heures et il se demanda quelle heure il pouvait bien être. Il s'approcha du corps du shérif adjoint pour voir s'il avait une montre.

Oui. Il lui sortit le bras de l'eau et l'examina. Elle était étanche. La grande aiguille avança d'un cran. Il était dix-neuf heures quarante-six.

Bon sang ! J'veux bien être pendu ! pensa-t-il. *J'ai dormi tant que ça !*

Il lâcha le poignet du mort, remonta le courant en pataugeant pour s'éloigner du flot de sang qui coulait de la tête défoncée du flic – en réalité, il s'était tari, mais cette image continuait à hanter Bill –, et il but longtemps. L'eau lui fit du bien, et cette fois elle avait bon goût, sauf que son estomac se mit à gargouiller affreusement.

Il décida de trouver quelque chose à manger – n'importe quoi. Avoir aussi faim, c'était le genre de truc qui risquait de le faire prendre ! Pourtant, il lui fallait absolument se mettre quelque chose sous la dent, même si pour cela il était obligé de se montrer à une bande de phénomènes de foire... Il sortit du ruisseau, escalada la rive et se dirigea vers les caravanes. Il y avait moins de freaks que tout à l'heure, mais il apercevait encore le type qui se déplaçait à quatre pattes, et deux autres monstres. Leurs têtes avaient la dimension et la forme – sinon la couleur – d'une lanterne d'Halloween creusée dans un potiron. Ils jouaient au Frisbee. L'homme-chien courait entre eux et sautait pour essayer de l'attraper dans sa gueule. Les deux débiles rigolaient ; l'homme-chien jurait et continuait son manège.

Bill avança en titubant dans leur direction. À une certaine distance du ruisseau, il faisait un peu plus chaud. Le soleil couchant ressemblait à un œuf fécondé qui dégueulait sur l'horizon un embryon de poulet, doré, jaune et rouge sang...

Des gobe-mouches ratissaient le ciel à la recherche de leur pitance et, dans le lointain, des voitures bourdonnaient joyeusement sur la nationale en se foutant complètement de butins perdus, de Chandelles Romaines foutues, de shérifs adjoints morts et de vieilles femmes en train de pourrir dans des sacs poubelle noirs...

Quand Bill arriva à proximité des remorques, les débiles cessèrent de jouer et s'immobilisèrent pour l'observer. L'homme-chien, lui, ne remarqua rien et lorsque l'un des freaks laissa pendouiller sa main tenant le Frisbee, il le lui arracha avec ses dents, courut en cercles, bondit – et aperçut enfin Bill qui venait dans sa direction. Il recracha le Frisbee et le regarda en penchant un peu la tête comme pour essayer de reconnaître quelqu'un de familier. Bill eut même l'impression qu'il reniflait l'air, mais il était encore trop loin pour en être sûr.

Tandis que Bill approchait, l'homme-chien recommença à bondir sur place à la façon d'un animal mécanique, puis il fila vers une des remorques.

Bill n'en eut pas conscience immédiatement, mais il tendait maintenant les mains devant lui, paumes en l'air, comme un mendiant. Il était si affamé et si épuisé, il avait tant besoin de quelque chose, n'importe quoi, qu'il ne pouvait pas s'en empêcher... Il tomba deux fois, et bientôt les deux potirons d'Halloween le prirent par les aisselles pour l'emmener vers les caravanes en le portant et le traînant à moitié.

Je suis kidnappé par des aliens... pensa-t-il. *Et je vais me retrouver sur une table d'opération avec des pinces à salade pour m'écarter les fesses et un doigt d'extra-terrestre, froid et humide, planté dans le fion...*

43

Quand on entend parler de ces enlèvements par des êtres venus d'ailleurs, le trou du cul est toujours, en effet, une cible prioritaire. Et puis ils aiment branler leurs prisonniers pour leur tirer du sperme. Bill se dit qu'il préférerait encore ça au doigt dans le cul. Ça pourrait même le relaxer, d'une certaine façon.

Quand ils ne furent plus qu'à quelques pas des véhicules, l'homme-chien réapparut avec un grand type dans la cinquantaine, aux sourcils et aux cheveux épais d'un blanc de neige, où se planquaient quelques poils noirs renégats.

Il portait un beau costume blanc, une veste à carreaux jaunes et blancs, une chemise immaculée et un nœud papillon à carreaux assorti à la veste. Il avait aussi des chaussures d'un blanc brillant et des chaussettes de la même couleur, que révélait son pantalon un peu trop court. De petits poils blancs réussissaient à percer à travers ses fines chaussettes. Il étudia Bill avec curiosité en penchant la tête d'un côté et de l'autre.

L'homme-chien continuait à sautiller et maintenant qu'il était près de lui, Bill vit qu'il était vêtu d'une salopette grise. Son visage sombre et allongé ressemblait vraiment à un museau de chien, souligné par une moustache bien soignée de l'épaisseur d'un trait de crayon. Il avait des poils dans les oreilles et ses jambes se terminaient par de petites bosses enfermées dans des sacs de cuir attachés à ses chevilles. Ses mains reposaient à plat sur le sol et une espèce de rembourrage était fixé autour de leurs paumes.

Il s'accroupit. Il répétait sans arrêt quelque chose que Bill avait du mal à saisir, parce qu'il parlait comme s'il avait un petit pain coincé en travers de la gorge.

Affaibli par la faim, Bill se sentit s'effondrer entre les bras des Potirons, et il se retrouva allongé sur le dos, à regarder le ciel, un tourbillon bleu et gris, liseré d'orange.

Les Potirons se penchèrent au-dessus de lui.

Il entendit quelqu'un qui disait :

– Écartez-vous. Il faut lui laisser de l'air.

Ils obéirent. Le visage de l'homme aux cheveux de neige entra alors dans son champ de vision, se rapprocha, et il sentit sa main qui déboutonnait sa chemise. Il respira mieux. Roulant sa tête

44

sur le côté, il huma l'odeur de l'herbe sèche, et, dans cette position, il aperçut les derniers feux du soleil entre les arbres, comme un géant exhibant son hémorroïde enflammée.

L'homme-chien continuait sa litanie sans fin et Bill finit par comprendre ce qu'il disait :

– *Un de nous. Un de nous. Un de nous.*

7

Bill avait un cordeau d'explosif enfilé dans la queue. Le shérif adjoint l'alluma.

Tout le temps qu'il brûla et consuma sa bite en remontant vers ses couilles, Bill savait que ça allait péter, mais il ne pouvait rien faire pour l'empêcher.

Il était allongé sur le dos, sur une petite langue de terre au cœur d'un marécage grouillant de mocassins, et il lui était impossible de bouger. Le flic, dont la mâchoire pendouillait au bout d'un lambeau de chair filandreuse, était assis sur une souche de cyprès et il observait Bill en actionnant ses lèvres fantômes. Il ne pouvait plus émettre le moindre son, mais Bill savait qu'il ânonnait, encore et encore : *Fumier ! Fumier ! Fumier !*

Bill tenta d'éteindre le cordeau avec ses mains, mais sans succès. Il s'était pourtant déjà manipulé Popaul dans des circonstances sacrément difficiles... *Tiens, essaie un peu de te concentrer sur ta bite alors que l'odeur de ta mère morte envahit ta chambre depuis la pièce d'à côté et te colle aux narines comme des bouts de coton sales...* Et voilà qu'il ne pouvait plus rien faire de son engin. Le cordeau avait presque atteint ses joyeuses et quand il déclencherait l'explosion, eh bien, Bill Roberts serait pulvérisé jusqu'en enfer, et ça n'aiderait pas non plus ses couilles.

Il pensa qu'il valait peut-être mieux le laisser brûler jusqu'au bout. Au point où il en était, rompu de fatigue, sur une île marécageuse assiégée par les serpents, avec pour compagnon, assis sur sa souche, un flic mort dont la mâchoire dégoulinait, et une queue qui partait en fumée alors qu'il gisait là, sur le dos, incapable d'agir, il valait sans doute mieux ne plus bouger, fermer les yeux et laisser les choses suivre leur cours... Oui, autant être pulvérisé dans le néant ! Quel intérêt de s'acharner ?

Il resta donc là, décidé à mourir, dans l'attente de l'explosion – et puis tout à coup il se ravisa. Non, il ne pouvait pas faire un truc pareil. Il ne pouvait pas accepter d'être réduit en poussière sans réagir ! Soudain, il se sentit plus fort, il tendit la main vers sa bite, la trouva sous un drap, entendit : *Un de nous !* et ouvrit les yeux.

– Non, Conrad, murmura l'homme aux cheveux blancs. Je ne crois pas. Je pense que c'est le résultat d'un accident quelconque.

Bill réfléchit un instant à la question, mais ne comprit pas ce que l'inconnu voulait dire. Il était dans un lit, nu sous un simple drap, il serrait son sexe, et Tifs d'Argent lui soulevait la tête pour porter une tasse d'eau à ses lèvres.

Bill contempla son visage. Il avait des joues roses et rebondies et des yeux si bleus qu'ils paraissaient presque violets. Ses lèvres étaient pâles et il n'était pas rasé de près. Derrière lui, le soleil qui jouait dans ses cheveux blancs formait comme une auréole autour de son crâne.

Bill se désaltéra.

Le museau de l'homme-chien – Conrad – arrivait presque à la hauteur du matelas, et il s'agitait près du coude du vieil homme. Puis il vint frôler le visage de Bill. Celui-ci se tourna vers ses étranges narines palpitantes. Il distingua la moustache soigneusement taillée, comme une chenille domestiquée. Mais il était si épuisé qu'il ne se sentit ni surpris, ni dégoûté, ni même amusé. En fait, il n'éprouvait pas grand-chose.

Conrad renifla Bill.

– *Un de nous*, répéta-t-il avec un air de défi.

– Comme tu veux, dit l'homme aux cheveux blancs.

Il éloigna sa tasse et laissa doucement redescendre la tête de Bill sur l'oreiller.

– Comment te sens-tu, fiston ?

Bill était incapable de parler. Sa langue lui semblait trop grosse, dans sa bouche. Il se contenta de hocher la tête.

– Tu connais le langage des signes ? demanda le vieillard. Je le comprends.

Bill secoua la tête.

Un autre personnage apparut alors dans son champ de vision. Une jeune femme aux cheveux blonds coupés courts, avec un visage doux comme un bonbon. Elle avait un joli nez constellé de taches de rousseur, des lèvres si rouges qu'elles semblaient colorées par une glace aux cerises. Elle débordait de vie. À son tour, elle se pencha au-dessus de lui, et il sentit son odeur – une odeur de foin fraîchement coupé, de sexe humide, avec une pointe d'eau de Cologne pour homme et un soupçon de sueur. Il devina son propre reflet dans ses yeux presque noirs.

Sous son débardeur d'homme, ses seins ronds se balançaient comme deux beaux melons dans un sac de coton. Elle l'examina d'un regard perplexe.

– Je crois que Conrad a raison, dit-elle. Je crois que c'est un freak comme eux. Et je te parie aussi, vu la façon dont il est tout recroquevillé comme ça, qu'il est en train de se branler.

Bill lâcha sa queue et fit glisser discrètement sa main le long de sa cuisse.

Quand la fille se redressa, il tourna un peu la tête et ses yeux vinrent se poser sur son ventre. Son T-shirt ne descendait pas jusque-là et son petit nombril – il remarqua qu'il était plutôt du genre extraverti – invitait à la succion. Il était percé d'un anneau, sur lequel était fixé un bijou couleur sang.

Elle portait un short taillé dans un jean délavé avec peu de jean et peu de short. Ses jambes, comme le reste de son corps, étaient lisses et bronzées. Elle n'était pas très grande, mais semblait faite de deux bon tiers de guibolles. Le short quasi inexistant moulait son pubis, et son sexe donnait l'impression d'être en train de manipuler la fermeture Éclair de l'intérieur.

Des poils s'étendaient en éventail au-dessus de cette pièce de tissu déboutonnée et ouverte qui ne tenait que par la volonté de la fermeture Éclair. Ils s'éclaircissaient en remontant sur son ventre, jusqu'à son nombril. Ceux qui s'échappaient de son short étaient plus foncés que ses cheveux – ils étaient presque rouges, comme s'ils avaient été blonds et teints avec du sang, voire avec un soupçon de rouille.

– Encore un de tes enfants perdus... grommela la fille.

Tifs d'Argent la regarda en fronçant les sourcils. Puis, revenant à Bill, il murmura :

– Ne t'inquiète pas, fiston. Ne fais pas attention à elle. (Bill ne réussit qu'un petit signe de tête.) J'ai dû jeter tes vêtements. Ils étaient trop sales. Mais on en a qui t'iront. Pour le moment, tu as besoin de repos.

– Tu n'es qu'une poire, Frost, ajouta la fille.

– Oui, je suppose que ta vision darwiniste me manque.

– Ha ! souffla la blonde.

De nouveau, Bill essaya de parler, mais toujours sans succès. Sa langue, dans sa bouche, avait la consistance d'une éponge desséchée. Le vieil homme lui sourit avec une espèce de mimique qui lui assurait que tout allait bien.

Bill le regarda un moment, puis il se tourna vers le nombril de la blonde et le trouva. Il le contempla aussi longtemps que possible, lui et le bijou rouge qu'il contenait, puis il ferma les yeux.

Il s'endormit presque immédiatement. Cette fois, il ne rêva ni de cordeau explosif, ni de shérif adjoint à la mâchoire explosée. Il ne rêva pas non plus d'un îlot dans un marais. Ni de mocassins.

Il s'imagina qu'il allongeait la blonde sur le dos et qu'il lui léchait le nombril, qu'il humectait les poils, en dessous, et puis qu'il ouvrait cette fermeture Éclair.

À partir de là, son rêve fut vraiment super.

8

Quand il se réveilla, la pièce était plongée dans le noir, à l'exception d'une lampe plutôt faiblarde, près de la porte, qui projetait sur le sol une espèce de flaque jaunâtre ressemblant à du vieux fromage fondu.

Bill s'assit dans le lit et repoussa son drap. Il était à poil. Il regarda autour de lui, à la recherche de ses vêtements, mais il n'y voyait pas très bien et la lumière ne portait pas loin.

Il s'enroula dans le drap et se traîna jusqu'à la flaque, puis il franchit la porte et se laissa tomber sur une chaise à côté d'un bureau. Il se sentait vraiment mal. Et il avait de plus en plus faim.

— Ah, ça a l'air d'aller mieux !

Bill sursauta. Une forme entra sans bruit dans la pièce, elle actionna un interrupteur et on y vit soudain comme en plein jour. C'était le vieux aux cheveux blancs. Il posa sa main sur le front de Bill, il lui souleva une paupière, puis l'autre, pour étudier le blanc de ses yeux. Quand il eut fini, il laissa échapper un drôle de bruit et dit :

— Tu me sembles en bien meilleure forme, fiston.

— Merci, répondit Bill, découvrant que sa langue fonctionnait à nouveau.

— Tu parles, constata Tifs d'Argent. C'est l'essentiel. Je me nomme Frost. John Frost. Certains m'appellent Jack Frost [1],

---

1. Aux États-Unis, John et Jack sont un seul et même prénom (N.d.T.).

mais la plupart disent simplement Frost. Une petite blague, tu vois. Tu as certainement entendu parler de Jack Frost [1], n'est-ce pas ?

— « *Jack Frost pique le nez...* » ou un truc comme ça...

— Ouais, tu y es. Et toi, c'est quoi, ton nom ?

— Bill.

— Parfait. Bill, c'est facile à retenir. Tu as faim, Bill ?

— Un peu mon neveu.

Frost suivit un petit couloir et passa dans ce qui faisait office de coin cuisine. Bill se pencha en avant sur sa chaise et le regarda aller et venir devant la gazinière. Puis il se leva, attacha solidement le drap qui l'enveloppait et le rejoignit.

En le voyant, Frost sourit.

— J'ai du bouillon de poulet. C'est recommandé pour ce que tu as. Et j'ai aussi du pain en tranches et du fromage. J'espère que ça t'ira.

— Là, maintenant, je pourrais bouffer le cul d'une mule en chaleur, dit Bill.

Frost rougit, ce qui le fit ressembler un peu à un père Noël sans barbe.

— Eh bien... murmura-t-il. Eh bien... Certainement. Une mule. Oui.

Il versa le liquide d'une casserole fumante dans une grande tasse et la posa devant Bill qui s'était assis à table. Il apporta des assiettes, puis le pain et le fromage. Il servit deux verres de lait.

— Mange, fiston, mange, chuchota-t-il.

Bill ne se le fit pas dire deux fois. Il essaya de s'y prendre proprement, mais il avait trop faim. Ses lèvres étaient si enflées à cause des piqûres de moustiques qu'il avait du mal à enfourner la nourriture. Du coup, il commença par boire tout le bouillon. Frost le resservit. Cette fois, Bill y fit tremper son pain et son fromage et il avala le tout à grand bruit. Il s'offrit un second verre de lait.

— J'ai des vêtements aussi, annonça Frost. Je suis un peu plus costaud que toi, mais ils devraient t'aller. La mode est à l'ample, à ce qu'il paraît.

1. Le bonhomme Hiver (N.d.T.).

— Merci, dit Bill.

Il étudia attentivement son interlocuteur, tout en sirotant son lait. Sa gentillesse et sa douceur paraissaient sincères. C'était un de ces personnages qu'on rencontrait dans les bouquins ou au cinéma, mais qu'on croisait rarement dans la vie... Un Bon Samaritain pur beurre. Bill se dit qu'il était tombé sur une occase d'enfer. La blonde avait raison. Frost était une « poire » de première. Il commença à envisager les perspectives qui s'ouvraient à lui, et puis il laissa tomber : après tout ce qu'il venait de subir, les dites perspectives étaient dures à envisager.

— C'est quoi, votre truc ? demanda-t-il.

— Comment ça ?

— C'est une foire aux monstres ?

— Mon Dieu, oui.

— J'ai vu cet homme-chien. Qu'est-ce qui lui est arrivé exactement ?

— Conrad. Eh bien, il ne lui est rien arrivé, fiston. Il est né comme ça. Ses parents l'ont abandonné et il a grandi dans un orphelinat et, en fin de compte, il s'est retrouvé avec moi. C'est mon bras droit, en fait.

— Il n'a pas vraiment de sang de chien dans les veines, n'est-ce pas ?

— Oh, grand Dieu, non. Son nom de scène, c'est Rex le Superchien. C'est son genre d'humour, tu vois. Mais non, il n'a certainement rien à voir avec un chien. Il est aussi humain que toi et moi.

— Je me demande, un gars comme ça, il lui arrive de trouver à baiser ?

Frost rumina sa réponse un moment, puis il prit une profonde inspiration.

— Euh, je dois t'avouer que je n'en sais rien... Il aime bien la femme à barbe, mais... Bon, vraiment, je n'en sais rien... Assez mangé ?

— Y'a du rab ?

— Sûr.

Frost lui servit une autre tasse de soupe et se rassit à côté de lui.

– Tu... as fait des études ?

– Ouais. J'm'en sortais pas si bien que ça, pourtant. J'crois qu'ils m'ont filé mon diplôme pour se débarrasser de moi.

– Tu es dans quelle branche ?

– J'ai pas vraiment de boulot, en ce moment.

– C'est dur d'en trouver ?

– Faut croire.

– Tu sais, tu es peut-être tombé au bon endroit.

– Comment ça ?

– Eh bien, Bill, je crois qu'il vaut mieux que je sois franc avec toi. Comme tu l'as dit, c'est une « foire aux monstres », ici, et tu as... certaines particularités.

– *Des particularités ?*

Frost tendit le bras par-dessus la table et posa sa main sur la figure de Bill.

Bill, à son tour, promena ses doigts sur son visage, qui lui parut étrange. Il se leva, trouva la salle de bains au bout du couloir, entra, alluma la lumière et s'observa dans la glace.

Un monstre lui rendit son regard.

9

Il pensa d'abord qu'il avait été mordu par des serpents – mais c'était absurde, bien sûr. Il se sentait vidé, d'accord, mais sinon ça allait bien, et si les mocassins lui avaient bouffé la tronche, bon sang, il s'en serait quand même rendu compte !

Il approcha son visage du miroir. Ses paupières étaient énormes, son nez couvert de boursouflures et son front marqué par une série de vilaines zébrures écarlates, comme un pont construit en pierres cuites. Le moindre centimètre carré de ses joues était enflé et enflammé et le démangeait. Ses lèvres étaient gonflées comme des chambres à air et, sur un côté de sa bouche, elles se retroussaient et révélaient ses dents.

De simples piqûres de moustiques – sauf que c'était bien pire que ce qu'il avait imaginé ! Il s'était endormi et, pendant son sommeil, des milliers de ces bestioles s'en étaient donné à cœur joie. Il avait souffert le martyre pendant des heures, mais à présent la douleur était passée et il ne restait que l'enflure et les démangeaisons, une espèce de feu sous la peau. Il devait être allergique à ces saloperies.

C'était ça que l'homme-chien voulait dire. *Un de nous ! Un de nous !* Il avait présumé que lui aussi était un freak.

Super, pensa-t-il, *mon déguisement est parfait.*

Quand Bill se rassit à table, Frost demanda :
– Je suis obligé de te poser une question. Comment es-tu arrivé chez nous ?

– Je faisais du stop... Le mec qui conduisait a eu un accident. Je me suis cogné la tête et quand je me suis réveillé, eh bien, j'étais ici.

– Le conducteur a été blessé ?

– J'en sais rien. Il était parti. Je suppose qu'il m'a abandonné au bord de la route. Après ça, je me suis perdu dans les bois.

Frost réfléchit un moment au récit de Bill. Celui-ci n'arrivait pas à deviner s'il l'avait convaincu ou pas. Frost changea de sujet :

– Ton visage... Tu n'es pas né ainsi, n'est-ce pas ?

– C'est les moustiques.

– Comment ?

– J'suis enflé, c'est tout. À cause des piqûres de moustiques.

Frost laissa échapper une exclamation.

– Ça alors ! Même moi je me suis laissé avoir ! J'ai croisé beaucoup de freaks dans ma vie, et pourtant tu m'as eu ! Je n'ai jamais vu rien de tel. Peut-être qu'en plein jour je m'en serais rendu compte. J'ai pensé à une espèce d'accident industriel. Une explosion quelconque. Des moustiques... C'est parfait ! Je n'ai jamais vu personne piqué comme ça !

Bill sourit, et puis, soudain conscient qu'avec le visage qu'il se payait, ce devait être étrange et hideux, il reprit son sérieux.

– Je suppose que ça partira, grommela-t-il. Je suis probablement allergique.

– Eh bien... Mon Dieu... souffla Frost. Des moustiques ! Oui, je suppose que ça s'arrangera. Je suppose...

– Mais vous n'en êtes pas sûr ?

– C'est difficile d'avoir la moindre certitude en ce monde.

– Comment vous faites pour... Pourquoi est-ce que vous traînez avec tous ces phénomènes ? Ça ne vous... déprime pas ?

Ce fut au tour de Frost de sourire.

– Ces « phénomènes », comme tu dis, ne sont que des erreurs de la nature, mais ils ont un cœur et un esprit comme nous tous. Certains d'entre eux, comme les Pointes d'Épingle et les macrocéphales, sont un peu dérangés, c'est vrai, mais ils n'en éprouvent pas moins des sentiments. Imagine si ton visage restait comme ça ?

– J'me ferais opérer. J'me suiciderais. Je ne vivrais pas avec ça.

– Oh, tu finirais peut-être par t'y résoudre. Nous sommes entre freaks, ici. Nous nous acceptons mutuellement.

– Mais vous n'êtes pas comme eux.

Frost sourit de nouveau.

– Ah non ?

À ces mots, il se leva, déboutonna sa chemise et lui montra sa poitrine. À la hauteur de son sein gauche, il y avait une petite main grise, dont le poignet était planté à l'endroit où se trouvait son cœur – ou, du moins, où il aurait dû y en avoir un. Ses doigts étaient légèrement recourbés. On aurait dit un crustacé ou une araignée préhistorique ébouillantés. De petites veines sombres où pulsait le sang couraient sous sa peau.

– Il y avait un enfant tout entier, ici, expliqua Frost, en tapotant la main rabougrie. À la naissance, nous étions vivants tous les deux, mais j'ai été libéré de lui, et il a été... détruit. Je ne vois pas comment dire ça autrement. C'est tout ce qu'il reste de lui. Cette main. Le poignet est relié à certains de mes organes vitaux et ils n'ont pas réussi à tout enlever. La main fait partie de moi. C'est mon pouls qui bat en elle, mon sang. C'est moi et c'est lui.

– Mon Dieu !

– Et ce n'est pas tout. (Frost déboutonna son pantalon et le baissa, dégagea son caleçon sur sa hanche droite bien en chair et lui montra la large cicatrice rouge qui remontait tout le long de son côté droit.) Le troisième était ici. On était des triplés. Mes parents ont décidé de nous faire opérer, j'ai vécu et ils sont morts. Ils étaient malformés. J'étais le plus facile à sauver. Je suis le membre d'un trio et le trio à moi tout seul. Parfois, dans la nuit, je sens cette main sur la poitrine et j'ai l'impression qu'elle se serre et qu'elle essaie d'enfoncer ses doigts dans mon corps, furieuse que j'aie survécu, désireuse de m'ôter la vie... Et cette cicatrice sur ma hanche. Elle devient brûlante et me fait mal. Surtout quand il fait froid. D'autres nuits, la cicatrice et la main sont mes compagnes.

– Vous étiez des triplés siamois ?

– Le terme est incorrect, mais comme je te l'ai dit, j'étais le membre d'un trio. Et je le suis toujours. On ne peut pas créer une personne en en détruisant deux. Si mes parents avaient choisi qu'ils survivent, ils auraient été mes frères.

– Vous n'auriez pas eu une vie normale.

Frost se rhabilla.

– Exact. Mais il n'y a pas grand-chose de normal non plus à conserver sur soi les blessures et les restes de ses frères. Savoir que j'ai vécu parce que j'étais au milieu et le plus facile à sauver car mon cœur était meilleur et mon apparence normale, c'est un fardeau.

– Ils étaient bizarres ?

– Malformés, je te l'ai dit. Ils ressemblaient à des pruneaux, c'était le terme qui les décrivait le mieux. Ratatinés comme de petites momies. Ils ne seraient pas devenus bien gros ni l'un ni l'autre, alors que moi, j'aurais atteint ma taille actuelle. Je les aurais portés contre moi – l'un serré contre ma poitrine comme un bébé qui tète et l'autre accroché à ma hanche à la façon d'un singe apprivoisé.

– Merde ! Vous avez de la chance ! s'exclama Bill. Vous êtes vivant et ils sont morts. C'est pas un fardeau.

Le visage de Frost prit une expression sardonique.

– Tu le penses vraiment ?

– Croyez-en l'avis de quelqu'un qui ne connaît que la poisse. Oui, vous avez de la chance.

– Je suppose que ça dépend entièrement de la façon dont on voit les choses. Tu as d'autres détails à me donner sur tes raisons de vagabonder dans les bois, épuisé, l'estomac vide, et dévoré par les moustiques ?

– Non, je ne vois rien, dit Bill.

Frost l'étudia.

– Eh bien, je fais confiance à mon instinct. Tu ne ressembles pas à un assassin.

Non, j'ai plutôt l'air de quelqu'un piqué par des millions de moustiques, pensa Bill.

– Je suppose que tu as tes secrets et tes raisons, reprit Frost. Tu es le bienvenu ici. Tu peux dormir dans notre lit, cette nuit. Demain, si tu souhaites rester avec nous, on t'en trouvera un autre. Et quand tu te sentiras plus en forme, tu seras libre de partir.

– Je vous en suis très reconnaissant, monsieur Frost.

– Ce n'est rien, Bill. Ce n'est rien. Je suis toujours heureux d'aider quelqu'un dans une mauvaise passe. Surtout quand je vois que ce quelqu'un a vraiment besoin d'un coup de main. S'il y a une chose à laquelle je crois, c'est bien ça. L'homme est fait pour aider son prochain à progresser dans sa vie, et c'est notre raison d'être, sur cette Terre.

– Merci, dit Bill.

Et il pensait : *Oh là là, ce que tu peux être con !*

10

– On est forcés de roupiller sur le canapé pendant qu'un connard avec un visage de merde qu'on connaît ni d'Ève ni d'Adam se vautre dans notre lit ?

– Juste cette nuit. Et toi, tu es forcée d'être aussi vulgaire ?

– Si je suis forcée ? Non. Mais j'ai envie, là.

Bill les entendait se chamailler à l'autre bout du camping-car. Ils essayaient de ne pas faire de bruit – Frost en tout cas –, mais leurs voix portaient distinctement jusqu'à la chambre.

Il n'arrivait pas à dormir. Du coup, il restait là à les écouter. Il avait déjà trop pioncé. C'était marrant, d'une certaine manière. Quelques heures plus tôt, il en écrasait tout le temps, et maintenant il ne réussissait plus à fermer l'œil et il fixait le plafond, les mains sous la nuque, tandis qu'une blonde explosive râlait parce qu'elle voulait récupérer son pieu...

Bill réfléchissait à tout ça, stupéfait. Comment cette superbe gonzesse qui avait le feu au cul avait-elle pu se brancher avec ce freak ? Frost était un gars assez sympa, d'accord, mais cette main collée à sa poitrine et cette cicatrice, ça aurait foutu les jetons à n'importe qui.

Au bout d'un moment, Bill se leva et prit une douche. L'eau chaude l'aida à retrouver le sommeil. Il retourna se coucher et s'endormit aussitôt. Mais il ne resta pas longtemps dans les bras de Morphée. Il fut réveillé par le bruit d'une porte qui s'ouvrait. Il tourna la tête. La fille se découpait dans le clair de lune. Il ne vit pas son visage, mais à son odeur il sut que c'était elle – ce merveilleux mélange de chatte humide et d'eau de toilette pour hommes.

Ses cheveux étaient plaqués sur son crâne et là, à contre-jour dans la clarté lunaire, sa silhouette paraissait inhumaine. Quand elle regarda dans sa direction, ses yeux étaient invisibles et les ombres s'étaient épaissies autour d'elle – on aurait dit qu'elle avait des tentacules, tel un grand calamar coiffé d'une toque d'or blanc. Les tentacules s'agitèrent et se tortillèrent, la fille changea de place, et le clair de lune, libéré par une nappe de nuages, se fit plus brillant et pénétra plus violemment par les fenêtres du camping-car. Soudain, elle apparut distinctement dans l'entrée et son parfum parvint à Bill avec plus d'intensité.

Elle resta là un moment. Il ne savait pas si elle voyait ou pas qu'il l'observait. Finalement, elle lui tourna le dos et referma la porte sans bruit derrière elle.

De nouveau, Bill les entendit discuter. Quand Frost lui demanda de venir se recoucher, elle répondit :

– Tu as fait ce que tu es censé faire ?

– Ce n'est pas nécessaire.

– Pour moi, oui.

– Et si on changeait un peu, juste cette fois ?

– Non.

– Je le ferai plus tard.

– Il n'y aura pas de plus tard si tu ne m'obéis pas.

– Très bien.

Il y eut un long silence, puis Frost reprit :

– Viens te coucher, maintenant.

Bill entendit des mouvements, des bruits de vêtements tombant sur le sol et ceux d'un corps grimpant sur un matelas et des coussins, et il pensa : *Nom de Dieu, elle va baiser ce monstre !* Puis il y eut des halètements étouffés, des grognements et des gémissements et des petits cris, et plus tard le silence revint et la nuit s'étira, profonde, sombre et paisible, et puis elle se mua doucement en un matin gris baigné d'un soleil fatigué, tandis qu'une pluie fine mais persistante tambourinait sur le toit du camping-car.

Bill, parfaitement réveillé, eut conscience d'une nouvelle agitation dans l'autre pièce et il comprit qu'ils s'y étaient remis. Il se

demanda si c'était la petite main sur la poitrine de Frost qui excitait la fille et si, pendant que le vieillard la baisait de son corps
lourd, elle essayait de tripoter cette horrible excroissance, de
caresser ces doigts grisâtres et ces veines où pulsait le sang...
Peut-être même qu'avec son autre main, elle pelotait la longue
cicatrice sur la hanche de Frost...?

Alors Bill s'imagina qu'il était *la main* – et l'idée de la blonde
allongée sous (ou sur) Tifs d'Argent le mit en rage, et il
commença à enfoncer profondément ses doigts dans la poitrine
de Frost pour empoigner haineusement le cœur du vieil homme
et le laisser se vider de son sang comme une prune écrasée perd
son jus.

11

Au petit matin, Bill examina de nouveau son reflet dans le miroir de la salle de bains, et une fois encore ce qu'il vit le stupéfia. Il se débarbouilla, puis il sortit et se promena dans le campement. La pluie s'écrasait sur son crâne et y plaquait ses cheveux, rafraîchissant son visage dévoré par les moustiques.

Il avait enfilé les vêtements que Frost lui avait laissés. Ils étaient trop amples, surtout le pantalon qu'il avait dû serrer à la taille avec une ceinture et raccourcir aux jambes en retournant légèrement les revers. Le vieillard était plus grand qu'il n'en avait l'air et il avait de larges épaules et une poitrine massive. Bill avait remis ses chaussures et il se pencha pour regarder l'eau qui les débarrassait de la boue. Quand cela ne l'amusa plus, il contempla la grisaille du petit matin qui s'évanouissait peu à peu.

Tandis qu'il traînait parmi les remorques et examinait leurs panneaux aux peintures criardes, la pluie cessa et le soleil fit son apparition, et la journée devint immédiatement aussi chaude et moite que la raie du cul d'un obèse.

Au cours de sa balade, il arriva devant le dessin qui représentait l'Homme des Glaces. Il l'étudia un moment – le corps noueux, la toison noire qui couvrait sa tête, son visage, sa poitrine et son entrejambe. Pour ce dernier, l'artiste avait été malin : on voyait les poils pubiens, mais là où aurait dû se trouver la zigounette du monstre, il n'y avait qu'un tourbillon de givre épais comme de la crème Chantilly. Le résultat d'un orgasme, peut-être ?

Malgré lui, Bill se demanda si on voyait ou non la bite de l'Homme des Glaces quand l'attraction était ouverte au public. Portait-il un caleçon *Fruit of the Looms*? Un slip? Une serviette? Ou était-il à poil avec une queue de la taille d'un anaconda? Peut-être, d'ailleurs, que son membre n'était pas plus gros qu'un gland... Bill se souvenait d'un type, au lycée – un grand fils de pute baraqué qui passait son temps à malmener tout le monde. Un matin, dans les douches, Bill avait découvert la cause de la perpétuelle colère de cette brute. Il avait un haricot en guise de biroute! Même en érection, la pauvre ne devait pas être beaucoup plus grosse qu'une carotte nouvelle. Et en effet, une chose pareille pouvait vous rendre foutrement mauvais jusqu'à la fin de vos jours!

Le gars se rendit compte que Bill l'avait percé à jour et, plus tard dans la journée, il lui chercha des noises. Bill lui sourit, et ils savaient tous les deux ce que signifiait ce sourire. Le connard lui fila une beigne, mais ensuite il lui ficha une paix royale. Parfois, il ne se lavait pas après le sport, et à son retour en classe il puait comme l'extrémité sud d'un bouc, avec son bébé goupillon dégueu niché dans son caleçon surdimensionné...

Bill contourna la remorque et se retrouva devant la porte. L'escalier métallique était remonté et tenu en place par des boulons. Sur le battant, il y avait une autre représentation de l'Homme des Glaces. Il était censé être couché dans son bloc, mais ici la peinture verticale donnait l'impression qu'il se tenait debout. Sa fourrure avait un aspect différent, et par endroits le travail était bâclé, comme si l'artiste s'était dépêché de terminer son boulot pour toucher son fric et filer se murger. Le corps était plus poilu et le monstre louchait; Bill eut l'impression qu'il le fixait où qu'il se trouvât, et cela lui donna la chair de poule.

Il se demandait ce que contenait cette remorque. L'Homme des Glaces était-il un freak, lui aussi? Ou un gros lard déguisé? Ou un mannequin fabriqué avec des bouts de caoutchouc?

Il fit le tour du véhicule d'un pas tranquille et posa sa main sur son flanc. C'était froid. Une agréable sensation en ce petit matin lourd et humide de l'East Texas. Il resta ainsi un long moment, comme s'il en tirait de l'énergie. Puis il se pencha et colla son visage contre la remorque. C'était encore mieux.

Plus tard, il reprit sa balade dans le camp et se retrouva nez à nez avec Rex le Superchien – braguette à nez, plutôt, vu que le phénomène se déplaçait à quatre pattes.

Rex – ou Conrad – portait une salopette rouge. Il s'assit sur ses talons et considéra Bill. Sa tignasse noire trempée était plaquée sur sa tête et de l'eau dégoulinait de sa fine moustache qui semblait huilée. Les poils de ses oreilles étaient mouillés, eux aussi, et ils pendouillaient comme des plantes empoisonnées. Bill crut tout d'abord que, comme lui, il venait de traîner sous la pluie, et puis il se rendit compte que ses vêtements étaient secs et que sa moustache était enduite d'un cosmétique quelconque. Il sortait très probablement de la douche.

Bill avait du mal à imaginer la chose. L'homme-chien prenant une douche !

Conrad pencha légèrement la tête et l'étudia. Bill n'aimait pas les yeux du freak – à un moment, ils paraissaient gris, puis ils devenaient bleus, et puis verts. Et ce visage allongé comme ça, avec ses lèvres marron et son menton inexistant, c'était aussi impressionnant qu'une fille obèse se masturbant sur une plage réservée aux nudistes.

– Je m'appelle Conrad, dit le Superchien de sa voix rauque.

– Moi, c'est Bill.

– Tu vas rester ?

– Ben, je crois. Un moment. Mais pas longtemps.

– C'est pas mal, ici, dit Conrad. Ça change de temps en temps, mais dans l'ensemble, ça reste pareil – et pareil, c'est pas mal.

– Ouais, eh bien, je m'en souviendrai.

– Parfait, dit Conrad.

Il déplia ses jambes, appuya ses bras sur le sol et s'éloigna. Bill le regarda partir, surpris qu'il n'eût pas de queue.

Quelques minutes plus tard, le campement bourdonnait d'activité. Les Pointes d'Épingle et les Halloween, la femme à barbe et plusieurs autres freaks affligés de bizarreries que Bill avait du mal à définir commençaient à s'agiter. Il lui sembla qu'ils émergeaient tous en même temps de leurs divers véhicules. Bientôt, un énorme réchaud à pétrole fut déchargé d'une remorque par des phénomènes que Bill n'avait pas encore vus : deux jumeaux noirs, attachés par une épaule, qui partageaient la même paire de jambes. La tête de celui de gauche pendait à bâbord.

Ils rappelaient à Bill un personnage d'une série télé qu'il adorait quand il était gosse. Elle s'était d'abord intitulée *The Little Rascals* [1], puis, plus tard, elle avait été rebaptisée *Spanky and Our Gang*. À son époque, ce feuilleton était déjà ancien. Un Buckweat adulte, oui, voilà à quoi il ressemblait ! *Ils ressemblaient.* Un double Buckwheat.

D'une autre remorque, les Pointes d'Épingle et les Potirons sortirent deux longues tables. Les nains, y compris Chapeau de Feutre que Bill avait vu la veille, apparurent à leur tour avec des bols, des casseroles et des couverts. Quelque chose, dans leur attitude, donnait l'impression qu'à n'importe quel moment ils pouvaient péter les plombs, se mettre à jurer et tout foutre en l'air.

Le gars qui alluma le réchaud semblait constitué de cintres recouverts d'une fine couche de chair. Quand la matière grasse commença à grésiller dans la poêle de Fil de Fer, les Potirons y cassèrent des œufs, tandis que les Épingles fouettaient la pâte et la versaient sur des plaques beurrées. La femme à barbe prit le relais – elle retourna les crêpes et continua à préparer de la pâte. Quand Conrad arriva, il se dressa sur ses jambes arrière près du réchaud, et dit quelque chose à la grosse dondon.

Fil de Fer trouva un tabouret et un paquet de clopes. Il alluma une cigarette et son regard pensif se perdit dans la contemplation du petit matin brillant et humide, comme s'il venait de réaliser ses rêves les plus fous.

Tout marchait comme sur des roulettes. On retournait les crêpes, on battait les œufs, on versait le lait. Les deux tables furent bientôt mises et Frost se montra à la porte de son cam-

1. Brièvement apparue en France en 1962, sous le titre *Les Petites canailles*, cette célèbre série US créée par Hal Roach fut diffusée pendant vingt-deux ans aux États-Unis (N.d.T.).

ping-car. Tout le monde échangeait des bonjours. Frost aperçut Bill près de la remorque de l'Homme des Glaces et lui fit signe d'approcher.

Du plat de la main, il lui indiqua une place à côté de lui sur le banc en bois. Bill s'assit et la femme à barbe posa devant eux des assiettes avec des œufs et des crêpes.

D'autres forains émergèrent des véhicules et bon nombre d'entre eux semblaient normaux – ils avaient juste l'air gros, tatoués ou fatigués.

Bientôt tout le monde était installé autour des deux tables, hormis la jolie blonde qui restait invisible. Une des Têtes d'Halloween prononça une prière d'une voix donnant l'impression qu'il se gargarisait avec le ragoût de la veille, puis le petit déjeuner put commencer. Tout était ordonné et poli – fourchettes, assiettes en carton, et je te passe ça, et s'il vous plaît et merci bien... Oui, tout fonctionnait, sauf pour Double Buckwheat – Bill se rendit compte qu'en plus, ils étaient arriérés. Ils se cognaient la tête et se disputaient la même crêpe. Bientôt, ils furent couverts de mélasse et ils eurent de l'œuf dans les cheveux. Alors, ils se roulèrent dans l'herbe agonisante en s'administrant mutuellement des claques comme s'ils chassaient des mouches.

Ils grognaient et juraient et se traitaient de sale nègre ceci et sale nègre cela et ils grimpaient l'un sur l'autre et se giflaient. Tout le monde les ignorait, et ils finirent par se calmer. Tartinés de mélasse et d'œufs, mais aussi d'herbe, de terre et de fourmis, ils revinrent à la table et ils recommencèrent à se disputer une crêpe et un verre de lait, qu'ils finirent par renverser.

Ils ne tardèrent pas à dégringoler de nouveau dans l'herbe, jurant, grognant et s'insultant.

La femme à barbe épongea le lait avec un torchon. Elle l'essora au-dessus du sol, puis elle l'enroula et s'en servit pour frapper les deux débiles. Elle en toucha un à la gorge.

– Calmez-vous, maintenant ! ordonna-t-elle.

Ils se firent oublier pendant un moment, mais sans vraiment s'arrêter de se disputer.

Bill demanda à Frost :

– Quand y'en a un qui fait mal à l'autre, est-ce qu'il se fait mal à lui-même ?

– Oui, répondit Frost en enfournant un morceau de crêpe. Ils sont deux en un. Ils paraissent aimer se battre. En tout cas, c'est ce qu'ils font. Tous les matins. À tous les repas. Et parfois même entre les repas. On finit par s'y habituer.

Putain, pas moi, pensa Bill.

12

Les freaks empêchaient Bill de se concentrer. Et le Double Débile qui se roulait par terre, barbouillé de mélasse, d'œuf, de lait et d'herbe, n'arrangeait pas son appétit.

Frost l'attrapa par le bras et lui sourit. Bill constata avec surprise que sa poigne était puissante. Il avait un teint un peu cireux, et ses cheveux blancs, ses yeux bleus, sa pâleur, et les rougeurs qui lui montaient par moment aux joues, tout cela donnait l'impression qu'il était gentil et faible – alors qu'en réalité, il était très costaud. Un père Noël sans barbe gonflé aux anabolisants...

– Ton visage est un peu moins enflé, lui dit le vieillard.

Bill avait oublié son handicap. Il n'avait plus mal. Ça ne le grattait même plus. Sans y penser, il leva la main et palpa les grosseurs de sa figure. Soudain, il eut peur de ne plus jamais s'en débarrasser.

– Viens avec moi, ajouta Frost. (Ils se levèrent et se dirigèrent vers les véhicules.) Bill, j'ai besoin de quelqu'un qui travaille pour moi.

– Pourtant, j'ai l'impression que vous avez un paquet de main-d'œuvre, ici, répondit Bill.

– Exact. Mais en dehors de Conrad, qui est mon bras droit, tous ces gens sont très occupés par leurs attractions. Et puis ils doivent aussi prendre soin de leurs caravanes et tout ça.

– Qu'est-ce que je devrai faire, alors ?

– Il me faut quelqu'un pour m'aider à diriger l'affaire et à m'organiser. Je m'en charge, pour la plus grande partie, et

Conrad s'occupe du reste, mais je cherche un gars capable de s'intégrer aux gens du coin. Quelqu'un qui n'ait pas une... apparence spéciale, tu vois.

– Et la blonde?

– C'est ma femme, Gidget. Je ne peux pas dire qu'elle s'intéresse beaucoup à nos activités. C'est une bénédiction, pour moi, mais c'est aussi une source de distraction. Et pour parler franchement, ça ne te regarde absolument pas.

– Bien sûr, répondit Bill poliment, flairant une histoire de fric derrière tout ça et se demandant si la fille n'était pas, elle aussi, un phénomène de foire d'un genre ou d'un autre. Peut-être qu'elle avait une queue et des couilles?

– Je peux juste te proposer le gîte et le couvert, rien de plus.

– Oh.

– Je comprends que ce ne soit pas très encourageant, mais c'est temporaire. Dans un mois ou deux, on verra comment on s'entend, et on décidera si on a envie de continuer ou pas. Si tu veux, dans la prochaine ville, avec ton visage enflé comme ça, je pourrai t'intégrer à notre spectacle.

– Comme un monstre?

– Tant que tu as l'air d'en être un, oui. On te trouvera un nom. (Il eut soudain l'air déçu.) Quand ton visage guérira, j'ai bien peur que ça ne marche plus. Mais... les freaks reçoivent des pourboires. Parfois même ça représente pas mal d'argent. Ce sont les jumeaux afro-américains, Elvis et Thomas, qui ont le plus de succès. Parce qu'ils n'arrêtent pas de se battre, je pense... C'est affreux, non? Être lié à jamais à quelqu'un qu'on ne supporte pas.

– J'sais que j'aimerais pas ça, grommela Bill.

– L'un des deux estime qu'il a la peau plus claire que l'autre, et c'est une source de grave conflit entre eux.

– J'croyais qu'ils étaient juste complètement cons.

– Ils sont arriérés, et ça compte, bien sûr. Mais la couleur de la peau joue aussi un rôle dans leurs problèmes. Surtout qu'ils ont *exactement* la même.

– Pour moi, ils ressemblent tous les deux à des nègres. Quand on y pense, c'est rien d'autre qu'un négro à deux têtes...

Frost se figea.

— Bill, si tu travailles avec moi, et je sais que tu n'as pas encore accepté, tu devras montrer davantage de respect pour ces gens et pour les autres races. Je ne tolère pas ce genre d'expressions, « complètement cons », « nègres » — tout cela va à l'encontre de mes opinions. Et cette fête foraine, c'est mon train, comme j'aime à l'appeler. Donc si c'est mon train et que j'en suis le conducteur, et que tu acceptes de monter à bord, il y a certaines règles à respecter. Et la première c'est de ne pas dire de mal de mes freaks. Ce mot-là est acceptable : en fait, ils s'appellent comme ça entre eux.

— Mais j'ai entendu ces deux déb... ces deux Noirs se traiter mutuellement de « nègres » !

— C'est vrai. Mais j'espère que tu as compris ce que je viens de t'expliquer. J'aimerais te garder avec nous, mais si tu te mets à parler de mes compagnons de cette façon, je serai obligé de te demander de t'en aller...

Bill étudia l'expression de Frost. Il avait l'air foutrement sévère et sérieux. Il pensa : *Trou du cul. Obsédé des freaks. Freak toi-même. Amoureux des négros...* Mais il répondit :

— Pigé. Parfois, les mots dépassent mes pensées. J'essaierai d'être plus gentil.

— Parfait. Alors, tu restes avec nous ?

— Pardi, dit Bill.

13

« Le train », comme l'appelait Frost, se mit en branle ce même jour après le petit déjeuner. Frost en prit la tête dans son break vert, avec Gidget à ses côtés. Bill conduisait leur camping-car. Son nouveau patron lui avait expliqué que normalement il s'en chargeait lui-même tandis que Gidget se mettait au volant de la Chevrolet – mais que maintenant qu'il travaillait pour eux, c'était à lui de s'en occuper.

Vers midi, ils atteignirent un petit bled nommé Wellington Mills et ils se garèrent dans un champ, à l'entrée de la ville. Les flancs de certaines remorques s'ouvraient et faisaient office de comptoirs où on vendait des hot-dogs, des bretzels et diverses autres saletés. Ils montèrent plusieurs petits stands munis de rideaux, ils les dispersèrent dans le pré, et les remplirent de quilles à dégommer, de cerceaux, de seaux et de bocaux où jeter des cents ou des balles ; ils disposèrent un peu partout des animaux empaillés, des trucs bon marché avec des yeux que les gosses pouvaient arracher et avaler.

Ils dressèrent aussi de grandes tentes et des gradins, et ils montèrent quelques attractions, dont la plus impressionnante était une espèce de grande roue, que le gars qui l'exploitait appelait tout simplement « le tourniquet ». Ce truc était vieux et rouillé et la peinture de ses nacelles se faisait la malle. À l'origine, elles étaient vertes, mais elles avaient payé leur tribut au temps. Quand le vent soufflait, les boulons qui maintenaient ce « tourniquet » – et il en manquait quelques-uns – cliquetaient, et les nacelles tanguaient un peu et l'ensemble grinçait et faisait naître des images de corps lardés d'éclats de métal... Phil, le responsable de ce manège, ressemblait à un repris de justice – et justement c'en était un. Un seul gars, dans leur petite communauté, avait les cheveux plus brillantinés que lui : un mec qui n'avait plus que deux dents de devant et avait l'air vraiment mauvais. On le surnommait Potty – Pot de Chambre – tellement ses ongles étaient dégueulasses.

Phil aimait mentionner qu'il avait été en taule, mais il restait dans le vague sur le crime qui lui avait valu ce privilège et sur le temps passé derrière les barreaux. Il portait un T-shirt blanc sans manches et une cigarette coincée derrière l'oreille. Il avait des tas de tatouages, la plupart exécutés avec un canif et des bouts cramés d'allumettes. Certains, pourtant, étaient l'œuvre de professionnels. Des têtes de démons aux couleurs vives. Des femmes aux seins hypertrophiés et aux jambes écartées. Trois cœurs dégoulinant de sang et percés d'une épée. Ses tifs étaient si gominés qu'on aurait dit une erreur de posologie. Comme si des gros bras l'avaient coincé par terre et l'avaient frictionné avec le tube entier, juste pour rigoler.

Il avait aussi des dents intéressantes et un gros nez. Il parlait beaucoup de sexe – avec qui il avait couché et avec qui il prévoyait de le faire. Bill ne connaissait personne de sa liste des « déjà baisées ». Gidget apparaissait dans la galerie des coups potentiels. Mais un certain nombre de top models et de vedettes de cinéma y figuraient aussi. Phil affirmait être le meilleur exploitant d'attractions de leur fête foraine – et dans la mesure où les deux autres n'étaient qu'un carrousel de chevaux de bois à la peinture écaillée et une espèce de manège à nacelles qui avançait aussi vite qu'un obèse chaussé de bottes en plomb, Bill n'en doutait pas. Le bizness de Frost ne fonctionnait pas tellement sur ce genre de spectacles – on y lançait surtout des balles et des cerceaux et on venait y voir diverses conneries bizarres et des monstres.

Phil était bavard et il partageait volontiers sa gourde de whisky, vu qu'il ne s'estimait pas sorti de la cuisse de Jupiter. Bill se dit qu'il avait surtout envie de raconter ses salades à quelqu'un qui ne les avait pas encore entendues et qui n'avait rien de mieux à foutre.

Ils traînèrent un moment dans une nacelle à se repasser la gourde. Elle était grasse vu que Phil n'arrêtait pas de tripoter ses cheveux.

— Ça fait un moment que j'pense à laisser tomber cette fête merdeuse, grommela Phil.

— Ouais.

— Ouais. J'veux dire, dans ton cas, avec ta tête et tout, t'es plus ou moins obligé de rester là, maintenant que t'y es, mais moi, j'crois que je vais me tirer.

Bill lui expliqua alors qu'il était dans cet état parce qu'il avait été bouffé par des moustiques.

— Sans blague !

— Ouaip.

- Tu te fous de moi.

— Naaan.

— Sans déc ?

— Sans déc.

— Putain, que je sois damné ! J'ai jamais vu un truc comme ça ! Tu m'as l'air amoché de naissance, mais bon.

— J'crois que c'est une réaction allergique.

— Ouais, j'ai connu un gars qui avait ce problème quand il mangeait des trucs où y'avait du blé. Bien sûr, il était pas aussi atteint que toi. Moi, je suis comme ça quand j'ai la chaude-pisse.

Bill n'avait pas une formation médicale extraordinaire, mais il ne croyait pas que la chaude-pisse avait un rapport quelconque avec ce genre de maladie — et pour ce qu'il en savait, elle ne faisait pas gonfler le cabochon, celui d'en haut, en tout cas... Mais après tout, il n'avait jamais chopé cette saloperie, et donc il n'insista pas. Il préféra s'en tenir à l'histoire du blé.

— Ton pote, y pouvait pas manger de blé, hein ?

— Tarte. Gâteau. Pain. Tout ce qui en contenait lui refilait une tête de pizza et il enflait comme un macchabée.

Ils picolèrent un moment en silence, puis Phil considéra les nacelles de son tourniquet, au-dessus d'eux, et dit :

– C'que j'veux faire, c'est peut-être démarrer une petite agence de recouvrement. Tu sais, tu rachètes de mauvaises dettes et puis tu vas les encaisser.

– Et qu'est-ce qui se passe si t'y arrives pas ?

– Tu perds ton pognon. Mais au départ, tu les négocies plus bas que la somme qui est réellement due, si elles traînent depuis quelque temps et que les créanciers ne réussissent pas à les récupérer. Ils sont contents de s'en débarrasser et de te les céder. Après, c'est à toi de te débrouiller.

– Et comment tu fais ça mieux qu'eux, gros malin ?

– Tu vas voir les gens. Tu les obliges à vendre des trucs pour te rembourser. S'ils refusent, tu leur forces un peu la main. Parfois, les menaces suffisent. Tu vois, tu les bouscules gentiment jusqu'à ce qu'ils sortent leur pèze. J'ai connu un négro qui faisait son beurre comme ça. Il avait une bonne bagnole. T'as l'air costaud comme mec. J'parie que tu t'en sortirais bien dans un plan de ce genre, si on s'y mettait ensemble. Et si les gars ne paient pas, on peut leur foutre une bonne raclée.

– J'crois pas, dit Bill.

– On n'a pas besoin de se servir de nos poings. On prend des matraques ou des battes de base-ball ou un truc comme ça. Mais faut mettre du sparadrap sur les manches, sinon ta main glisse. C'est un avis de spécialiste que j'ai eu du nègre dont je t'ai parlé. Il dit que si t'as une bonne batte bien lourde, t'es emmerdé chaque fois que tu frappes quelqu'un avec. Ouais, à chaque fois ta foutue main va glisser ! Il a résolu le problème avec un chouïa de sparadrap.

Merde, pensa Bill, *j'suis même pas capable de cambrioler un marchand de pétards. Parlons pas de tirer du fric à des paumés.*

– J'crois pas, répéta-t-il.

– Bon, t'as peut-être raison. J'imagine que ce serait plus facile d'organiser un petit réseau de putes. C'est elles qui s'font embarquer par les flics, en général. Toi, t'es le mac, tu te contentes de récupérer les bénefs. Et t'as de la moule gratos, en plus. Pense un peu à ça, mon gars.

– Je suppose que c'est vrai, dit Bill.

– Réfléchis-y. Ça serait une reconversion. Toi et moi, on se casse d'ici et on démarre l'affaire illico.

74

– C'est mieux que rien, vrai. Mais j'sais pas.

– Réfléchis-y, c'est tout.

– Promis.

– Quand j'avais seize ans, j'suis tombé d'un camion de briques.

– Ah, ouais ?

– J'me suis cogné la tête. Ça m'a fait quelque chose à la queue.

– Pardon ?

– Y'a un truc dans ton cerveau qui contrôle ta queue. Je veux dire qui la fait se dresser et tout et tout. Les nerfs, les muscles, tout le bordel, c'est relié à ta tronche. Du coup, je bande tout le temps à moitié. Si je veux tirer, tu vois, ma bite devient plus dure évidemment, mais j'ai plus ou moins une trique permanente – et même en ce moment.

Bill évita de regarder l'entrejambe de Phil, de peur que le gentleman ne sortît son engin pour confirmer ses dires. Il ne voulait surtout pas lui en donner l'occasion...

– Remarque, ça a des avantages, poursuivit Phil. Je descends le calcif, la fille découvre ce bon vieux gourdin, il n'est même pas encore au boulot et elle a déjà dix-huit centimètres sous les yeux ! Eh bien, ça la branche tout de suite, tu piges ? D'un autre côté, le problème c'est qu'aucun pantalon ne me va jamais. Je me sens toujours un peu à l'étroit, tu vois.

Finalement, Phil abandonna les queues pour la politique. Il semblait être opposé à des tas de trucs et pas favorable à grand-chose. Bill ne l'écoutait plus que d'une oreille distraite. Il hochait la tête de temps en temps et veillait à ne pas rater son tour de whisky.

La gourde fut terminée à peu près au moment où Phil finissait une anecdote de sa « période gigolo ». Bill le remercia, descendit de la nacelle, et flâna sans but jusqu'à l'instant où on le réquisitionna à nouveau.

Il trouva chiant le boulot qu'on lui donna et le fait d'être à moitié bourré n'arrangea rien. On dut lui répéter plusieurs fois ce qu'il avait à faire. Ce fut la femme à barbe qui s'en chargea. Tout le monde la surnommait « U.S. Grant » parce que sa pilosité et sa corpulence rappelaient le héros de la Guerre de Sécession devenu président des États-Unis. Elle était grognon et autoritaire, et elle avait un faible pour les robes colorées qui descendaient aux genoux et n'avaient que trois trous, sans col et sans manches – pour la tête et les bras. On aurait pu fabriquer une toque russe rien qu'avec les poils de ses jambes robustes. Bill regretta un peu de ne pas avoir traîné avec Phil dans la nacelle pour discuter de putes, de passages à tabac, de semi-érections et de politique, même si le whisky était épuisé.

Pendant que la fête foraine s'installait, Frost prit la Chevrolet pour aller faire un truc quelconque en ville. Gidget ne l'accompagna pas. Elle resta dans leur camping-car. Bill pensa à elle et se demanda si elle se baladait les fesses à l'air, là-dedans. Ce genre de fantasme l'aida à finir son travail.

Ensuite, il rejoignit Conrad, assis sur son derrière comme un chien, près de la remorque de l'Homme des Glaces. Conrad sortit une cigarette et l'alluma tout en contemplant le dessin sur le flanc du véhicule. Il tira une taffe, la souffla par son nez de toutou, puis rangea son paquet et son briquet.

Quand Bill s'approcha, Conrad le salua sans se retourner. Bill en fut un peu secoué. Ce gars-là ne ressemblait pas seulement à un chien – il avait aussi l'ouïe aussi fine qu'un cabot !

– T'en veux une ? dit Conrad en se désintéressant du personnage peint sur la remorque.

Bill fit non de la tête et lui demanda comment marchait leur business.

Histoire de dire quelque chose.

– Monsieur Frost va en ville et distribue les prospectus. On a déjà l'autorisation de s'installer ici, comme dans tous les endroits où on s'arrête, parce que Frost la sollicite à l'avance. On a un itinéraire régulier à travers des tas de petits bleds du Texas et d'une partie de la Louisiane.

Bill s'efforçait de ne pas regarder Conrad quand il parlait. C'était trop bizarre de voir des babines de chien produire des sons humains. Surtout quand ce chien avait une moustache et un clope au bec.

– Bon, ajouta Superchien, il va payer aussi un paquet de pots-de-vin pour pouvoir faire son boulot, parce que, tu vois, dans ces

76

deux États, c'est illégal de montrer des freaks. Bien sûr, on le fait quand même, car le public veut en voir et qu'il paie pour ça. On va finir de s'installer et ce soir on fera notre job – qui consiste principalement à glander dans la fête foraine et à gueuler quelques trucs à la foule.

– Comment ça ?

– Les gens aiment bien que les monstres leur parlent, mais il ne faut pas qu'ils aillent trop loin. Sinon, on risque les emmerdes. Avec la gueule qu'on a, y'a une limite à pas franchir, ou les clients deviennent violents. Ils pensent qu'ils ont le droit de faire du mal à quelqu'un qui est différent d'eux parce qu'à leur yeux on n'est pas humains.

T'as tout juste, se dit Bill.

– En ce qui me concerne, par exemple, ils aiment que j'aboie et que je leur foute un peu la trouille. Comme ça ils se sentent supérieurs à moi, comme si je n'étais pas sur la même planète qu'eux – mais il arrive qu'on dépasse les bornes. J'ai déjà assisté à ça. Ce sont nos deux jumeaux noirs qui sont les plus exposés. Pourtant, même s'ils ne sont pas très malins, ils savent quand il faut la fermer. Sinon, certains de ces ploucs risqueraient de leur passer deux cordes autour du cou...

Bill essaya de se représenter ce spectacle. Une pendaison de frères siamois !

– Comment Frost a-t-il réussi à réunir tous ces phénomènes ? demanda-t-il.

– Nous sommes plus nombreux qu'on le pense. Faut que tu le saches. Frost est comme du papier tue-mouches. Les freaks le trouvent et s'accrochent à lui. Ou alors les parents qui ont des anormaux dans notre genre, comme notre jumeau noir à deux têtes, les lui vendent. La plupart d'entre nous s'en trouvent mieux, en fait, parce que Frost les traite bien. Il a été gentil avec toi, non ?

– Oui.

– Et puis y'a les arnaqueurs.

– *Les arnaqueurs ?*

– Oui, les faux freaks, si tu veux. Ils se déguisent. Tu as vu notre Moitié-Moitié ? (Bill fit non de la tête.) Elle est quelque part dans le coin. Plutôt snobinarde. Se mélange pas. Elle se rase un côté de la tête, se maquille un peu pour avoir de la barbe sur une joue et sur une mâchoire et elle parle de ce coin-là de la bouche avec une voix d'homme. De l'autre côté, elle a des cheveux longs, pas de poils, et elle s'exprime comme une femme. Et c'en est une.

— Elle a bien deux nichons, non ?

— Ouais, mais pas très gros. Alors, elle rembourre celui du côté femme et bande le deuxième pour l'aplatir. Dans son pantalon, elle porte même une chaussette bourrée d'autres chaussettes, à droite, comme si elle en avait, tu vois. Elle assure qu'elle est à la fois le gourdin et la fente. Y'a des gens qui ont vraiment ces deux types d'équipement, tu sais, sauf qu'ils ne sont pas partagés comme ça au milieu – mais pas elle. Y'a d'autres arnaqueurs, avec nous. Ils prétendent être une chose ou une autre, mais c'est du pipeau. Et puis on a les Merdeux en Conserve. Dans la remorque qui n'est pas encore ouverte. La longue.

— *Les Merdeux en Conserve ?*

— Tu les verras ce soir. Des bébés mort-nés et des prématurés. Des bébés avec des queues, et trop de jambes, trop de têtes, trop d'yeux, et trop de ce que tu veux... Qui, s'ils avaient vécu, auraient ressemblé à certains d'entre nous. Ils sont dans des bocaux remplis d'alcool – comme des pickles, si tu veux. Mais les gens aiment bien les regarder.

— Et l'Homme des Glaces ?

Conrad le Superchien resta un moment silencieux.

— Lui, c'est spécial, dit-il finalement.

— C'est un faux ?

— Frost l'a acheté y'a des années. Ça a l'air tout con, mais une fois que tu seras en sa présence... Bon, y'a rien de comparable. C'est spécial. Moi, je n'y vais plus. Ce foutu truc me tracasse.

C'est parce que t'as pas de miroir dans ta piaule... pensa Bill.

— C'est un faux ? répéta-t-il.

— Toutes ces peintures sur nos remorques exagèrent ce que nous sommes, d'accord. Tu devrais aller regarder la mienne. Là-dessus, je ressemble exactement à un chien avec une toute petite dose d'humain.

Oui, pensa Bill, et...?

– Mais quand tu nous vois, ça n'a aucun rapport. Et c'est pareil pour nous tous. Ces dessins font de nous des choses que nous ne sommes pas. Ils influencent l'esprit. L'Homme des Glaces et ses représentations – aucun rapport avec ce qu'il y a là-dedans. On ne peut pas montrer ce qu'il y a dans cette remorque, ni le transformer en ce qu'il n'est pas, et pourtant ce n'est rien d'autre qu'un cadavre allongé dans un congélateur. Ouais, voilà, c'est pas grand-chose et tout y est.

– C'est un faux ?

– C'est ce que c'est, dit Conrad.

Bill ne comprenait pas bien ce qu'il lui racontait, mais il ne savait pas non plus comment lui demander d'être plus clair. Conrad avait fini son clope et il s'était de nouveau tourné vers la remorque de l'Homme des Glaces.

– Pour quelqu'un qui a une grosse tête, dit-il soudain, tu t'exprimes plutôt bien. J'ai d'abord pensé que t'étais un peu limité, question cervelle. C'est le cas de beaucoup de nos Potirons. Plus d'eau que de matière grise. Mais ce n'est pas de leur faute.

– Je ne suis pas comme ça, d'habitude. C'est juste que j'ai été piqué par des moustiques.

– Quoi ?

Bill répéta ce qu'il venait de dire et il ajouta quelques détails, en laissant de côté le braquage de la baraque de pétards et le cadavre du shérif adjoint. En d'autres termes, tout ce qu'il raconta à Conrad – à part le fait de s'être perdu dans le marais et d'avoir servi de pâture aux moustiques – n'était qu'un mensonge pur et simple.

Conrad hocha la tête et grommela :

– Oh, tu es pareil que les arnaqueurs !

Et là-dessus, il s'éloigna, comme si tout à coup la compagnie de Bill l'embarrassait.

Bill regrettait de n'avoir pas pu brancher leur conversation sur le cul. Il aurait voulu savoir si le chien y avait droit et s'il était obligé de tirer ses coups en levrette. Trop tard, maintenant. Conrad s'était cassé.

Un mystère de plus qui restait sans réponse.

Il pensa retourner au camping-car de Frost, pour glander, mais la blonde, Gidget, y était toujours, et il avait honte de son apparence actuelle. Il ne voulait pas être de nouveau victime de l'attitude ambiguë de cette fille.

À l'instant où il jetait un coup d'œil dans cette direction, il la vit sortir. Elle avait un short sensas. Sa braguette était ouverte et il ne tenait que grâce à ses hanches... Deux centimètres plus bas, et on aurait eu droit à la totale. Elle était chaussée de tongs et portait un T-shirt blanc très moulant, grossièrement coupé à la hauteur de son ventre. Là-dessous, ses nichons dansaient en liberté et braquaient des tétons calibre quarante-cinq. Elle descendit les marches et s'éloigna d'un pas léger entre les remorques, traversa le champ, s'engagea dans une petite pente et disparut à sa vue.

Bill la suivit. Assise sur un tas de terre, elle fumait une cigarette en contemplant de l'autre côté du pré, à travers les barbelés, un bosquet d'arbres et quelques vaches qui traînaient autour.

À cet instant, Bill décida qu'il n'y avait aucune chance qu'elle eût une bite. Elle était femme jusqu'au bout des ongles. Il pensa lui faire un peu de conversation, mais avec la tronche qu'il se payait, il ne préféra pas, finalement.

Il retourna au campement et attendit la tombée de la nuit en se demandant où en étaient les recherches de la police.

Les flics étaient-ils sur ses traces ? Pouvait-il retourner chez lui, maintenant ? Que devenait sa mère, sur son pieu ? Avait-elle encore fondu un peu plus et les insectes s'étaient-ils introduits dans sa piaule pour ramper partout sur elle ?

S'il rentrait et que tout allait bien, la première chose à faire c'était de se débarrasser de la vieille. Peut-être qu'il la traînerait derrière la maison sur son matelas et qu'il y foutrait le feu. Ensuite, il ramasserait ses restes au râteau, il les mettrait dans un sac et les enverrait à la décharge.

Et merde ! pensa-t-il. *Je ne réussis jamais rien. Suis même pas capable de faire un braquage tout con sans que ça vire au drame. Ce putain de masque qui craque, le pneu qui crève, Fat Boy, Chaplin et le shérif adjoint qui avalent leurs bulletins de naissance... Et*

puis maman qui clamse. Qui a cette foutue signature et moi qui ne
peux pas l'imiter. Voilà la source de tous mes problèmes : sa radi-
nerie et son écriture de cochon!

Vu comment les choses tournaient, il allait finir en taule! Et
s'il s'en tirait, il lui faudrait peut-être se mettre à travailler.

Rien que de penser à cette éventualité, il en avait les jambes
en coton. Cette satanée Foire aux Monstres lui demandait déjà
pas mal de boulot et il n'aimait pas ça, mais pour l'instant elle
l'emportait sur toutes les autres options.

N'importe lesquelles.

14

Frost rentra à la tombée de la nuit. Il cria des ordres, indiqua des trucs du doigt, hocha la tête et la secoua et puis il resta là, debout, les mains sur les hanches. Et des choses commencèrent à se produire.

Les véhicules furent disposés en un cercle serré. Les groupes électrogènes alimentèrent les ampoules blanches, jaunes, rouges et bleues – plus quelques vertes et or, perdues au milieu. Dans cette lumière, le tourniquet retrouva sa jeunesse. On aurait dit un vaisseau extra-terrestre attendant ses passagers.

Sur les flancs des remorques, les peintures grossières se métamorphosèrent, elles aussi. Elles se chargèrent d'érotisme et de séduction. Baignés dans une musique foraine vulgaire, les aboyeurs – entre eux, ils disaient « orateurs » – donnaient de la voix devant les tentes et les attractions. À l'extérieur, le parking improvisé se remplissait ; les gens entraient dans la fête par une ouverture laissée dans le mur compact des véhicules ; c'était là que se trouvait la billetterie.

Bill ne joua pas le rôle d'un freak, comme Frost l'avait suggéré un peu plus tôt, mais cela ne le gêna pas ; au contraire, la simple idée d'être associé à ces gens le dégoûtait. Il avait déjà assez honte de se montrer comme ça avec son visage bousillé ! Il s'était planqué dans l'ombre, près de la remorque de l'Homme des Glaces, pour attendre la fermeture de la fête et observer ce qui se passait.

C'était étrange de voir à quel point leur petite communauté s'était métamorphosée. À cette heure-ci, tout semblait joli et exceptionnel. Des gosses riaient en se goinfrant de barbe à papa, des jeunes femmes en mini-shorts et en chemisiers moulants se promenaient en gloussant, impressionnées et amusées par tout ce qui les entourait. Des ados avec de l'acné et des cheveux gras se donnaient des coups de coude, zieutaient les filles et se marraient entre eux.

Il y avait du monde devant les tentes et les remorques des freaks, mais les affaires de l'Homme des Glaces démarrèrent doucement. Pourtant, au fur et à mesure que les gens en ressortaient, le bouche à oreille fonctionna, et les mêmes personnes revinrent, et d'autres arrivèrent, et plus la nuit avançait, plus la queue s'allongeait.

Deux policiers dans la cinquantaine, un maigre et un gros, faisaient leur ronde d'un pas nonchalant. Ils étaient là pour s'assurer que tout allait bien et que les monstres n'allaient pas attaquer la ville. Ils avaient l'air d'apprécier les femmes en short autant que les ados acnéiques. Ils avaient les mêmes sourires et se donnaient les mêmes petits coups de coude.

De temps en temps, des visiteurs s'arrêtaient pour regarder Bill dont le visage paraissait d'autant plus étrange que l'obscurité creusait les blessures infligées par les moustiques.

Les flics furent les premiers à lui adresser la parole.

Le maigrichon l'aperçut et lui lança :

– T'es qui, toi ?

Bill se demanda si sa photo circulait déjà sur les avis de recherche et si on pouvait reconnaître ses traits malgré leurs déformations. Il quitta l'ombre et entra dans la lumière.

– Je suis la Tête de Baudruche.

– Pardon ? fit le flic.

– Tête de Baudruche. Ma tête a gonflé.

L'autre rigola :

– C'est nul, comme nom. T'aurais intérêt à trouver autre chose.

– Ouais, intervint le second policier, le gros. C'est vrai que c'est nul. Tu pourrais t'appeler Monsieur Moche, ou Tête de Nœud, ou un truc comme ça. Ça marcherait mieux... T'as merdé à la naissance ?

– Accident industriel.

– Quel genre ?

– Explosion dans un élevage de poulets, et j'étais dedans.

– Bon sang, qu'est-ce qui peut bien exploser, dans un élevage de poulets ?

– Les poulets.

Maigrichon réfléchit un instant à cette réponse et éclata de rire.

– Tu te fous de moi, c'est ça ?

– J'ai été touché au visage par les volatiles qui fusaient dans tous les coins. Ils bouffaient trop, et y'en a un qu'a pété juste au moment où un contremaître allumait un clope, et la suite appartient à l'histoire. On a appelé ça le Grand Désastre des Poulets d'Owentown. Vous pouvez vérifier, c'est dans les archives des journaux.

– Maintenant, je sais que tu te fous de moi, dit le flic, et il recommença à rire, comme si c'était la meilleure blague qu'il eût jamais entendue.

– C'est bon, intervint son collègue. Et si c'est pas à la naissance, ça t'est arrivé comment ?

– Un incendie.

– Eh bien, ça se voit, ricana Gros Lard. Y'a un truc que j'aimerais savoir. Que je me suis toujours demandé à propos des gens comme toi.

– Vas-y.

– Avec une gueule comme la tienne, t'arrives à baiser beaucoup ?

Bill se sentit irrité par cette question, et puis il se rappela qu'il avait posé la même à Frost à propos de Conrad.

– J'me débrouille.

– Tu tires vraiment de bons coups ? insista Gros Lard. Je veux dire pas des monstres dans ton genre ou une nénette avec une maladie. Je peux t'imaginer en train de sauter la femme à barbe et celle qui raconte qu'elle a une bite et une chatte, parce que tu vois, quel choix elles ont, pas vrai ? Mais un bon coup ?

À cet instant, les flics tournèrent la tête car Gidget s'ouvrait un passage dans la foule, l'air maussade, les lèvres enflées

84

comme si elle venait de recevoir une baffe. Deux ados, dans toute leur magnificence grêlée de pus, la regardèrent passer, bouche bée, avec la révérence de moines approchant d'un lieu saint.

– Un bon coup comme celle-là, précisa Gros Lard.

– Non, reconnut Bill. Pas encore, en tout cas.

Les deux flics rigolèrent. Le gros ajouta :

– Ouais, t'as raison, frérot. Pas encore. Une fille comme elle, t'aurais pas assez d'argent pour te l'offrir, même si elle était partante.

– Un incendie, hein ? grommela Maigrichon.

Bill hocha la tête.

– Ouais, je vois ça très bien, reprit le policier. Ta gueule a pris feu et quelqu'un l'a éteinte avec une tractopelle.

Les deux flics gloussèrent.

– Une chose est sûre, fit Gros Lard, t'en a pris plein les dents. T'es vraiment moche. Et maintenant que j'y pense, je ne sais pas si cette femme à barbe voudrait de toi, après tout.

– Allez, j'te souhaite bonne nuit, la Baudruche, ou Homme Brûlé, ou Mec Percuté par – un – Poulet, ou qui que tu sois, et te ramène surtout pas en ville avec cette tronche. Tu risquerais de provoquer des fausses couches chez les négresses, tu m'entends ?

Les deux flics s'éloignèrent en continuant à se marrer et ils vinrent se placer au début de la queue, en passant devant tout le monde, à l'entrée de la remorque de l'Homme des Glaces.

Quand ils en ressortirent, un peu plus tard, ils étaient silencieux.

Ils traversèrent la fête et disparurent derrière le tourniquet, sans doute pour aller exiger des hot-dogs, des cannettes et de la barbe à papa gratos, et zieuter les fesses des adolescentes qui se penchaient au-dessus des comptoirs pour lancer des pièces ou des balles.

– Sales cons, siffla Bill entre ses dents.

15

Bill longea la remorque de l'Homme des Glaces et prit la direction suivie par Gidget un peu plus tôt. Elle était sortie du cercle des véhicules et elle fumait une cigarette dans l'obscurité, assise à l'endroit où il l'avait déjà vue à la fin de ce même après-midi. Ses cheveux dorés jouaient avec les rayons lunaires et caressaient sa peau comme une crème onctueuse, enchantés de leur sort. Quelque part, un peu plus loin, une vache meugla tristement comme si elle venait de comprendre la véritable raison de son existence.

Bill s'approcha de Gidget par-derrière.

– Belle nuit, hein ? dit-il.

Elle ne se retourna même pas pour lui répondre.

– Tire-toi, trouduc. T'auras rien.

– Je me montrais juste amical.

– D'accord : salut ! Et maintenant, fous le camp, petite bite.

– Vous n'êtes pas très gentille.

– C'est exact. Et y'a aucune raison que tu sois là à traîner autour de mon cul. Je ne baise pas les monstres. Laisse-moi apprécier mon clope. C'est à peu près la seule distraction que j'ai.

– Je voulais juste parler.

– Mais oui, c'est ça. Maintenant casse-toi, ou je dirai à Frost que tu m'as importunée.

– Vous êtes sa femme. Je ne ferais jamais une chose pareille !

– C'est déjà assez dur de devoir supporter cette foire aux freaks. Je n'ai aucune envie de devenir copine avec un type qui se paye une tête de grenade trop mûre. Vire. Et tout de suite !

Bill s'éloigna dans le pré en donnant des coups de pied dans l'herbe. *Bon sang*, pensa-t-il, *j'ai pas une tête de grenade ! J'fais juste une allergie aux moustiques. Frost ne lui a rien dit ?*

Comme il n'avait rien de mieux à faire, et qu'il voulait oublier son amour-propre piétiné par cette salope, il prit place dans la queue devant la remorque de l'Homme des Glaces. Conrad, qui s'offrait une pause, passa par là et l'aperçut au fin fond de la file.

— Tu n'as pas besoin d'attendre si tu veux voir une attraction, lui dit-il. Rentre directement. T'es des nôtres.

— Hé, Fido ! s'exclama un homme. Tout le monde doit faire la queue, même ton copain boutonneux !

Il avait une veste à rayures blanches et rouges qui n'aurait pas fait honte à la devanture d'un coiffeur, et un pantalon couleur rouille. Ses cheveux étaient moins brillantinés que ceux de Phil, mais tout de même assez gras pour faire frire un poulet.

— Il travaille ici, répondit Conrad.

— Ça va, dit Bill. Ça ne me gêne pas d'attendre mon tour.

— T'as pas besoin, insista Conrad.

— Et moi, je dis que oui, fit Enseigne de Coiffeur.

— Vous dites bien ce que vous voulez, fit Conrad.

Le gars réfléchit à une série d'insultes et se décida finalement pour :

— Eh, Fido, tu fais ça en levrette ?

Le copain qui l'accompagnait, un plouc au crâne rasé comme un Marine, aux abdos travaillés à la bière, et dont les chaussures blanches avaient été neuves en 1968, ricana :

— Tu rigoles, avec la gueule qu'il se paye, l'a jamais dû baiser !

Conrad, habitué aux insultes, s'accroupit et sortit une cigarette. Il jeta un regard méprisant aux deux hommes, comme un chien boudeur qui refuse de faire un tour devant un pote de son maître.

— Putain, qui c'est qui t'a fringué, le clown Ronald Mac-Donald ? dit-il finalement. (Il planta le clope entre ses lèvres.) Si j'avais une veste comme la tienne, je chierais dessus avant de l'enfiler. (Il alluma sa cigarette.) Elle serait au moins trois fois mieux.

87

– Espèce de petite ordure mal foutue, siffla Enseigne de Coiffeur en s'avançant vers lui, l'air menaçant.

Conrad leva sa main enveloppée de cuir.

– Tu vas perdre ta place dans la queue, si t'en sors. Et, en prime, ton petit cul puant pourrait bien recevoir une fessée.

À présent, les gens leur jetaient des coups d'œil inquiets, tout en faisant semblant de regarder ailleurs. Curieux, mais peu désireux de se laisser embarquer dans cette histoire.

– J'devrais te botter le fion, grogna Enseigne.

Pourtant, il ne se rapprocha pas davantage.

Conrad retira la cigarette de sa bouche et l'envoya valser d'une chiquenaude.

– C'que tu devrais plutôt faire, répliqua Conrad, c'est t'offrir une coupe de cheveux convenable et puis récupérer des fringues un peu plus décentes chez Goodwill [1], et peut-être te payer aussi un détartrage de chicots et un dégraissage de tifs. Et si tu mettais quelques couches de papier ou de carton dans tes chaussures, ça te donnerait les deux centimètres qui te manquent.

L'homme fit quelques pas vers lui. Conrad, d'un air presque indifférent, plongea la main dans sa salopette rouge et fit apparaître un rasoir qu'il ouvrit d'un geste sûr, puis il sortit un paquet de cigarettes neuf. Il en découpa le dessus avec le rasoir et prit un nouveau clope entre ses lèvres caoutchouteuses, puis il rangea le paquet, mais conserva son rasoir ouvert. De sa main libre, il attrapa son briquet, l'alluma et approcha la flamme de sa cigarette. Puis il le remit dans sa poche en regardant Enseigne du coin de l'œil.

– Si tu fais ce que t'as en tête, dit-il, alors moi je vais faire ce que tu penses que j'ai en tête...

Enseigne se retourna pour considérer son copain qui, tout à coup, ne semblait plus intéressé du tout par la question. Il regardait droit devant lui, maintenant. On aurait juré qu'il rêvait depuis son plus jeune âge de visiter cette attraction. Il tendait le cou, comme s'il examinait l'avancement de la file ou qu'il espérait peut-être voir apparaître l'Homme des Glaces en personne à la porte de la remorque.

1. Un équivalent américain d'Emmaüs (N.d.T.).

Enseigne râla encore un peu et, au bout d'un moment, il s'éloigna.

– J'vais chercher les flics, promit-il.

– Transmets-leur mes amitiés, dit Conrad. (Il rangea son rasoir, tira sur son clope, et ajouta à l'intention de Bill :) Allez, entre.

– Tu ne viens pas ?

– Non. J'y pense de temps en temps, mais je ne retourne plus le voir.

Bill quitta la queue et, à l'entrée, bouscula sans le vouloir un couple âgé que son apparence impressionna beaucoup. En s'accrochant à son homme, la vieille dame le fit presque dégringoler des marches et elle envoya valdinguer son panama. Un garçon d'une douzaine d'années, en uniforme de louveteau, le ramassa et le planta sur sa tête à la place de son béret.

– Z'avez vu la mangeoire à oiseaux ? gloussa-t-il.

Le vieillard lui arracha le galurin, s'en coiffa de nouveau et lui jeta un regard mauvais. Le gamin ne sembla pas vraiment terrorisé. Il émanait de lui quelque chose qui annonçait : *J'ai reçu de pires raclées que celle que tu pourrais me filer.* Il remit son béret en lui donnant une inclinaison désinvolte, obligea Panama à baisser les yeux et considéra sa femme comme s'il allait lui proposer un rendez-vous et lui demander de fournir les capotes.

Bill se glissa à l'intérieur de la remorque. Ça caillait là-dedans, et il eut la chair de poule sur les bras et sur le dos des mains. Frost était là, vêtu d'un costume blanc, d'une chemise bleu pâle assortie à ses chaussures et d'une cravate bleu foncé. Les jambes de son pantalon, un peu courtes, laissaient voir ses fixe-chaussettes en soie noire. On les distinguait bien car il avait coincé ses pieds derrière un des barreaux de la chaise sur laquelle il était assis, sur une plate-forme surélevée au fond de la remorque. Il baignait dans une lumière vive qui tombait d'une ampoule nue, au-dessus de sa tête, et lui donnait une aura d'ange des bas-fonds. Devant lui se trouvait un gros congélateur; une plaque de verre embuée comme une chope de bière fraîche lui servait de couvercle. Sur les genoux de Frost était posé un sèche-cheveux branché et quand il y eut suffisamment de monde autour de lui, il le mit en marche et le promena un instant au-dessus du verre. La buée disparut et le public, immédiatement, changea d'expression. Tout le monde se tordit le cou, se pencha, examina le contenu du congélo sous tous ses angles.

– *Seigneur tout-puissant!* s'exclama un homme qui tenait son petit garçon dans ses bras.

L'enfant, qui devait avoir dans les quatre ans, s'avança pour voir.

– Il n'a pas froid, papa? demanda-t-il.

– A mon avis, il ne doit plus ressentir grand-chose, répondit le père en riant.

– Laissez-moi vous parler de lui... dit soudain Frost par-dessus le bourdonnement du sèche-cheveux.

Il éteignit l'appareil et se cala contre le dossier de sa chaise. Il avait déjà récité ce laïus une centaine de fois, ce soir, et pourtant son visage paraissait aussi frais que le téton d'une jeune vierge.

Maintenant qu'il était sur le point de raconter son histoire, il changea d'attitude. Il était toujours avachi sur son siège, mais on aurait dit un diable empêché de jaillir de sa boîte par un poids très lourd posé sur son crâne.

Il considéra la plaque de verre que le froid avait embuée de nouveau. Ses beaux yeux bleus avaient la douceur d'un nuage d'été.

– Il existe bon nombre de récits sur notre Homme des Glaces, commença-t-il. Il m'a été transmis en l'état par l'exploitant d'une autre fête foraine, auquel il ne restait rien, à part lui et une exposition de rats géants originaires de Russie. Il ne montrait ses attractions que dans les concours de Tracteur Pulling [1] et d'autres manifestations du même acabit, mais il était fatigué et il voulait prendre sa retraite. Il n'arrivait plus à nourrir ses rongeurs ni à payer l'électricité nécessaire pour conserver le corps de l'Homme des Glaces, et en plus il détestait les Tracteur Pulling dont le vacarme lui cassait les oreilles. La dernière fête à laquelle il participa annonçait la venue du champion du monde des poids lourds et d'un groupe de gospel, mais le boxeur annula

1. Compétitions où des tracteurs gonflés doivent tirer des remorques-freins. Très en vogue aux États-Unis (N.d.T.).

et un des chanteurs mourut en route, si bien que le spectacle perdit tout son intérêt, en dehors de l'Homme des Glaces et des rats géants. Le premier était présenté dans de mauvaises conditions – une quasi-obscurité –, et quand le public vit les rats, on frisa l'émeute. Déçu, décidé à arrêter de toute façon, le vieillard me fit une offre, que j'acceptai.

« Je fus obligé de lui acheter ses animaux et l'Homme des Glaces en un seul lot. Les rats ne sont plus avec nous. Ils se sont échappés et vagabondent probablement aujourd'hui dans les marais de l'East Texas déguisés en opossums.

Quelques rires dans le public. Rien de suffisant pour réchauffer le cœur, pourtant. Un homme dit, assez fort, à la femme qui l'accompagnait :

– Si ces nègres n'ont pas fait des cartons avec pour les bouffer...

Frost lui lança un regard désapprobateur et le gars se racla la gorge et se concentra sur le contenu du frigo – mais avec le sourire du gosse fier d'avoir pété à l'église pendant le sermon. La femme, qui portait un ensemble d'un vert décoloré et de mauvaises chaussures, tira un peu la gueule et sourit à Frost pour lui faire comprendre qu'elle, elle n'était pas comme ça et qu'elle était désolée de l'ignorance de son compagnon – mais elle n'y pouvait rien, n'est-ce pas ?

Bill essaya d'apercevoir le corps. Il tendit le cou et plissa les yeux, mais il ne distingua qu'une forme indistincte sous le couvercle de verre embué. Il y avait un petit espace libre contre le congélo, et il aurait pu s'y glisser pour mieux y voir, mais il préféra rester derrière, à l'écart. Il ne voulait pas attirer l'attention sur lui plus que nécessaire. Quelques personnes lui jetaient déjà des regards en coin.

– ... L'histoire de ce corps est plus compliquée, poursuivit Frost. Je l'ai acheté au gars dont je vous ai parlé, mais lui-même l'avait acquis auprès d'un type qui affirmait qu'il s'agissait d'un homme sauvage abattu dans le Wisconsin. Pourtant, à l'évidence, on ne lui a pas tiré dessus. Les blessures que vous voyez sur lui ont une origine différente. Selon une autre version, ce cadavre fut retrouvé dans un bloc de glace flottante et il appartiendrait à un Néandertal piégé dans une tempête préhistorique. Si c'est le cas, il n'existe aucun moyen de connaître son âge. Peut-être qu'un jour je m'offrirai une datation au carbone 14, mais comme vous pouvez vous en rendre compte il est unique et très ancien – et pourtant il est aussi frais et neuf qu'un bébé qui vient de naître. C'est à cette dernière histoire que je crois, celle de la glace, mais il ne l'a toujours pas brisée, métaphoriquement parlant, et ici devant vous gît un mystère qui a traversé les siècles, un précurseur de ce que nous sommes devenus...

– Ouais, ou alors c'est juste un gars qu'est mort et qu'on a rangé au freezer... gloussa l'homme qui avait fait la remarque sur les opossums, un moment plus tôt.

La femme, comme pour conserver les bonnes grâces de Frost, s'empressa d'ajouter :

– On voit bien quand même que c'est pas quelqu'un de normal !

– C'est peut-être Big Foot [1], ricana le gars. Et en parlant de grands pieds, il a quelque chose entre les orteils. De la crotte de chien, peut-être ?

La femme le prit par le bras et l'entraîna dehors avec les autres. Avant l'arrivée du groupe suivant, Bill s'avança et jeta un coup d'œil.

Au début, il vit simplement les deux mots écrits avec un doigt sur le verre embué, par le petit malin, peut-être ? – *Alley Oop* [2].

Puis Frost ralluma son sèche-cheveux et le dirigea vers la vitre pour la réchauffer. La condensation disparut, et avec elle l'inscription. Bill fut surpris par ce qu'il découvrit. Il s'agissait indéniablement d'un homme, mais ce n'était pas une enveloppe flétrie, couleur goudron comme il s'y attendait... Devant lui se trouvait un être d'environ un mètre quatre-vingts, à la peau rose et aux traits bien dessinés. Il avait un grand front et de larges mâchoires, un long nez légèrement crochu et des lèvres aussi épaisses que de gros vers de pêche. Plusieurs cicatrices étaient visibles sur son front et sous ses côtes flottantes, côté gauche. Il

1. La version américaine du yéti (N.d.T.).
2. Un homme des cavernes qui voyage dans le temps, personnage de bande dessinée créé en 1933 par V.T. Hamlin. Scénario de Dave Graue et dessins de Jack Bender (N.d.T.).

avait une barbe noire fournie, beaucoup de cheveux et des poils en abondance sur les épaules, la poitrine, le pubis et les jambes. Ses yeux grands ouverts étaient bleus et sans pupille, brillants à cause du froid, mais ces yeux, si bleus, si étranges, semblaient voir directement à travers le verre jusqu'au fond de l'âme de Bill. Ils l'obligeaient à penser à des choses – toutes sortes de choses, et toutes en même temps.

La buée se reforma, et Frost agita de nouveau son appareil au-dessus du couvercle pour l'en chasser. Cette fois, Bill nota les dents courtes et jaunâtres du cadavre, marquées par le gel d'un hiver artificiel et par la violente lumière. On avait l'impression qu'elles avaient été taillées dans du savon sale et graissées avec de la vaseline. Il regarda ses mains et ses pieds calleux, son sexe et ses testicules. Il découvrit avec satisfaction que son organe n'était pas aussi gros que le sien ; ce n'était ni un petit gland, ni une trompe, mais il faisait penser au goupillon et aux noisettes d'une statue antique de marbre blanc ; non circoncis et recouvert d'un morceau de peau qui ressemblait à un collant sur un visage, il était blotti dans une touffe de poils noirs et rêches – une créature masquée, habituée aux attaques des stations-service, et endormie dans son petit nid.

Bill et Frost échangèrent un regard, un sourire apparut lentement sur les lèvres de ce dernier, puis Bill se retourna et sortit. Il longea la queue, qui était trois fois plus longue que tout à l'heure et ne cessait de grandir. Il ne vit ni Conrad, ni aucun de ses compagnons forains. Il franchit le cercle des remorques et traversa le pré jusqu'au monticule où Gidget s'était installée un peu plus tôt. Elle était partie, et c'était tant mieux, car il se sentait bouleversé et si elle avait encore été là, il aurait pu la frapper... Il éprouvait ce qu'il avait ressenti quand sa mère était morte et qu'il avait compris qu'il pouvait désormais faire une croix sur ses chèques. Il avait l'impression qu'il venait de se réveiller pour se rendre compte qu'un sommeil éternel aurait été préférable.

Il se laissa tomber à l'endroit où Gidget s'était assise, et cet endroit conservait un peu de la moiteur de la fille, il était tiède et la nuit était douce et le ciel limpide.

Dans le lointain, il entendit meugler une vache – un mugissement long et plaintif, comme un appel au secours –, et il eut soudain une envie folle de mourir et de voir tous les autres mourir. Une envie de rester seul au milieu de ce pré, dans l'obscurité douceâtre, sous ce ciel clair. Et puis il s'estomperait encore et encore jusqu'à n'être plus qu'un petit point dans le noir – et puis plus rien.

TROISIÈME PARTIE

GIDGET

16

Les jours et les nuits de Bill s'enchaînaient, répétitifs
– conduire d'une ville à l'autre, aider à l'installation de la fête
foraine, et puis traîner jusqu'à ce que le moment fût venu de tout
recommencer.

Il détestait ça. Le travail, en général, ne lui convenait pas, mais
même dans ses pires moments de dèche, il n'aurait jamais pensé
bosser avec un homme-chien, une femme à barbe, un assortiment de débiles et de corps tordus, et un homme charmant avec
une petite main plantée dans la poitrine... Il n'avait jamais eu le
sentiment d'occuper une place très élevée dans la chaîne ali-
mentaire, mais à aucun moment il n'aurait imaginé tomber si bas
et, aujourd'hui, il était troublé de découvrir que, là aussi, il
s'était planté.

Une fois encore, sa mère avait raison. Il n'était pas seulement
stupide : il était surtout un perdant. Où qu'il se tournât, le mail-
let de l'imbécilité lui enfonçait le crâne et le destin lui collait un
coup de pied dans les roustons, le coiffait d'un bonnet d'âne et
l'envoyait chier.

Il lui arrivait de songer à partir, et puis il passait la main sur sa
figure et il y renonçait. Où serait-il allé ? Lui aussi, il était
devenu un monstre. Il n'avait plus le courage de se regarder dans
un miroir, ni de se toucher le visage, même quand ça le démangeait – alors que bon sang, désormais, ça le grattait vraiment !

Le soir, quand la fête foraine battait son plein, il traînait
devant la remorque de l'Homme des Glaces comme un pauvre

con qui s'est fait jeter par sa petite amie au profit d'un autre gus et qui vient quand même garer sa voiture près de chez elle juste pour rester là à mater sa piaule et à se morfondre sans savoir quoi faire... Il n'était pas retourné à l'intérieur pour le voir, mais l'image de ses yeux était gravée en lui aussi profondément qu'une brûlure occasionnée par des radiations.

Parfois, la nuit, il avait l'impression que les yeux de l'Homme des Glaces se précipitaient vers lui depuis les ténèbres, et puis tout à coup il sentait que c'était lui qui tombait. Il plongeait vers ces deux mares sombres... et juste avant de s'y noyer, il se réveillait.

Le reste du temps, il pensait à Gidget et à ce qu'il y avait derrière la fermeture Éclair de ses shorts. Il y réfléchissait plus souvent qu'à l'Homme des Glaces, surtout le soir, quand il était au pieu.

Ils l'avaient viré de leur chambre et il s'était retrouvé sur le lit de camp, dans la cuisine, où Frost et Gidget avaient dormi ce premier soir où ils l'avaient accueilli.

Désormais, il entendait les grincements de leur lit, la nuit, et quantité de grognements et de halètements. Pour lui, les vieux n'étaient pas censés s'envoyer en l'air autant, mais Frost était certainement en train de faire quelque chose avec Gidget dans cette foutue piaule et il ne lui enseignait sans doute pas des prises de lutte gréco-romaine !

Souvent, aussi, il oubliait Gidget et l'Homme des Glaces. Allongé dans l'obscurité, il pensait à sa mère, à sa maison, à ses copains morts et au flic dans le ruisseau. Il se demandait si la police avait finalement découvert le cadavre de Monsieur l'Agent « Fumiers ! », si elle avait repêché au fond du marais la voiture qu'ils avaient volée et si elle était tombée sur le corps de Fat Boy.

Très probablement. Les traces de dérapage révélaient la destination de la bagnole aussi sûrement que les rails indiquaient la direction d'un train. Et puis les poulets finiraient par retrouver le carrosse de Fat Boy. Avait-il laissé, dans ces deux véhicules, de l'ADN sous une forme ou une autre qui les conduirait jusqu'à lui ? Parce que ces fils de pute ramassent toujours ton ADN quelque part. De la salive sur ton chewing-gum. Des traces de foutre ou de merde dans ton caleçon. Des crottes de nez dans un Kleenex.

Ouais, cette saloperie d'ADN te coince à tous les coups – sauf si t'es un célèbre footballeur nègre [1].

Un matin, Frost frappa à la porte de la cuisine, puis il la fit coulisser et il entra avec une serviette noire munie d'une fermeture Éclair. Il s'assit sur le lit à côté de Bill et dit :

– J'ai ramené ça pour toi.

Bill se redressa et regarda Frost ouvrir sa serviette. Elle contenait des flacons de pilules, de petites bouteilles de liquide et deux seringues.

– Hé, s'exclama Bill, j'prends pas ce genre de merde !

– Non, non, répondit Frost. Ce ne sont pas des drogues. J'entends, pas des drogues illégales. Ce sont des médicaments.

– J'savais pas que j'étais malade.

Frost rigola.

– Tu fais une grave allergie aux piqûres de moustiques, mon garçon. C'est un ami qui m'a fourni ces trucs. Un médecin. Je t'ai dit que j'ai été infirmier diplômé pendant un temps ?

Bill fit non de la tête.

Frost dévissa le bouchon d'une bouteille. Une capsule de caoutchouc souple fermait le goulot. Il y planta l'aiguille d'une des seringues et aspira une partie du liquide.

– J'ai fait pas mal de trucs avant de devenir propriétaire de cette fête foraine. Mais ici, c'est le seul endroit où je me sois jamais senti autant chez moi. Avec cette main plantée dans la poitrine, je me suis toujours considéré comme un imposteur, dans le monde « normal ». Bon, ce produit devrait réduire une partie de tes boursouflures, l'infection à bas bruit, comme disent les spécialites. Je veux aussi que tu avales quelques-unes de ces pilules. On aurait dû faire ça plus tôt, fiston, mais à la vérité, j'étais obligé d'attendre de passer dans la ville où j'ai un ami médecin. Il m'a donné un coup de main pour me procurer ces produits. J'imagine que ça en fait quand même des drogues illégales, hein ?

1. O.J. Simpson (N.d.T.).

Bill tendit son bras à Frost.

– Non, il faut piquer la fesse.

Bill baissa son caleçon à contrecœur et roula sur le ventre, presque sûr qu'il allait soudain sentir les mains de Frost lui bloquer les épaules et sa queue entrer en lui par-derrière. Il n'avait jamais connu quelqu'un dans son genre. Personne ne s'était montré aussi gentil avec lui. Il était peut-être de la jaquette, en quête de rondelles et de pénétrations profondes... ?

Et puis il lui vint à l'esprit que s'il était homo, il tirait de sacrés coups avec un chouette petit lot, environ dix fois par nuit. Est-ce que les pédés agissaient ainsi ? Savaient-ils faire ce genre de choses avec une gonzesse, voire y prendre goût ?

Bill n'eut pas le temps de réfléchir beaucoup à tout ça, car la piqûre fut terminée en un tour de main. Frost n'avait pas tenté de le violer. Il nettoya simplement l'aiguille avec un peu d'alcool, rangea la seringue et le médicament et referma sa serviette.

– Bill, j'ai compris que tu avais fait quelque chose que tu n'aurais pas dû, murmura Frost, mais je ne te demande pas quoi. Je sais lire dans les hommes. Je les connais. Pas les femmes, mais les hommes, oui. Et toi, tu as fait quelque chose. Je comprends aussi que tu es quelqu'un de bien et que ce n'était pas grave... Juste stupide. Est-ce que je me trompe ?

Bill remonta son caleçon et se retourna.

– Ouais, j'ai fait des trucs. Je vous l'ai déjà dit.

– Tout ce que je veux savoir, c'est que ce n'était pas une horreur. Juste une imbécillité. Et que tu ne recommenceras pas.

– Oui. « Imbécile » est plus ou moins ma marque de fabrique.

– Pas un meurtre, quand même ?

Bill prit le temps de réfléchir. Il n'avait pas tué sa mère, elle était morte toute seule, et il n'avait pas tué non plus cet abruti de la baraque de pétards, c'était Chaplin qui s'en était chargé. Il n'avait assassiné ni Fat Boy – merci, les serpents – ni Chaplin, victime d'une Chandelle Romaine. Enfin, il n'était pas responsable du sort du shérif adjoint. Le flic s'était débrouillé tout seul, comme un grand. Pour un homme qui n'avait pas de sang sur les mains, il s'était sans doute beaucoup frotté à la mort, ces temps derniers, mais il n'eut pas l'impression de mentir quand, finalement, il répondit à Frost :

– Naan, rien d'aussi grave. J'ai juste eu quelques ennuis. Mais j'ai dans l'idée que ça va bientôt s'arranger. Et ouais, je me tiendrai à carreaux.

– Bien, murmura Frost. J'ai pris le temps de t'observer, et je crois que tu es l'homme qu'il me faut pour ce dont nous avons parlé.

– Comme directeur ?

– En quelque sorte. J'ai besoin de quelqu'un pour s'occuper de certains tâches à ma place dans les villes où on s'arrête. Moi, j'en ai assez. Je continuerai à gérer une bonne partie de l'organisation, mais tu pourrais distribuer un peu d'argent ici ou là, récupérer telle ou telle chose, t'assurer que toutes les autorisations sont en ordre et prendre soin de la publicité. Tu comprends ?

– Je ne connais rien à la paperasse et tout ça.

– Franchement, ce n'est pas nécessaire. Tout roule tout seul. Écoute, Bill, ce n'est pas vraiment un boulot de direction. C'est juste un travail de routine, ce n'est pas compliqué, mais je préférerais ne plus avoir à m'en occuper. Ce serait un bon moyen pour toi de commencer à gagner un peu d'argent et de nous être utile ici. Certains de mes collaborateurs ont l'impression que tu n'es pour moi qu'une espèce d'animal de compagnie parce que tu n'as rien de monstrueux.

– J'suis pourtant assez bizarre comme ça !

– Tout le monde sait maintenant que ton état n'est pas définitif et que tu n'as pas l'intention de simuler quoi que ce soit. Je n'ai aucune envie de tourner autour du pot, Bill. Tu dois accepter, si tu veux rester avec nous. Nous n'avons pas réellement besoin d'une personne de plus pour installer la fête.

– Pourtant, il faudra quand même que je continue à donner un coup de main ?

– Exact. J'ai dit que nous n'avions pas besoin de toi, mais si tu es là, tu nous aides.

– Mais ce boulot en ville... Avec la gueule que je me paye ?

– Dans une semaine, tu seras comme neuf.

– Ah ouais ?

– Encore un petit peu enflé, peut-être, mais ça va beaucoup mieux. Tu as sûrement remarqué que c'était en train de s'arranger ?

Bill, qui avait évité d'étudier son visage depuis un bon moment, fila illico dans la salle de bains. D'habitude, il gardait les yeux fixés sur le fond du lavabo, il ouvrait l'eau et se débarbouillait sans se regarder dans le miroir, mais cette fois, il leva lentement la tête et découvrit son reflet.

Baudruche avait disparu. D'accord, il était encore enflé et rouge, et même bleuâtre à certains endroits. Boursouflé au-dessus des yeux, sur les joues, à la commissure des lèvres et sous le nez. Pas joli-joli. Mais personne, désormais, ne le confondrait plus avec un freak. À la limite, on pourrait croire qu'il n'avait pas pu se retenir dans une rixe de bar, un jour où il était bourré.

Bill se lava et s'essuya avec sa serviette, ravi de cette amélioration. Il retourna dans la cuisine et se rassit sur son lit de camp.

— Vous avez raison, je vais mieux.

— Et ces médicaments te permettront de guérir encore plus vite, promit Frost.

— Ce boulot va me rapporter autre chose que le gîte et le couvert, hein ? demanda Bill.

— C'est ce que j'ai dit l'autre fois.

— Combien ?

— Ça dépend de ce que nous gagnons. Je garde l'argent des entrées à la fête, plus ce que rapporte l'Homme des Glaces. Tous les autres gèrent leur propre attraction. Ils ont ce que leur donnent les gens pour les voir et tous les pourboires. Je récupère un petit pourcentage de leur gains. À toi, je vais offrir une part de mes revenus, outre le gîte et le couvert. Mais il faudra que tu t'installes dans une autre remorque.

— Laquelle ?

— Celle de l'Homme des Glaces. C'est la seule où il y ait assez de place libre. Elle est correctement équipée. Je t'ai aussi acheté des vêtements. Quelques pantalons et des T-shirts. Une veste légère. Des tennis, des chaussettes et des sous-vêtements.

— Merci.

— Pas de problème.

Bill, qui se sentait mieux tout à coup, se métamorphosa en homme d'affaires rusé. Il retroussa les lèvres et plissa les yeux.

— Je ne sais toujours pas de quel salaire on parle, ici...

— Tu t'apercevras vite que lorsque je me fais une bonne semaine, je me montre généreux. En général, on se débrouille.

— Ouais, je suis surpris du blé que rapporte votre petit bizness. J'ai toujours cru qu'on tirait le diable par la queue, dans les fêtes foraines.

— Tu as peut-être l'impression que c'est beaucoup, mais une fois que j'ai payé tous les frais, ça ne casse pas des briques. C'est l'Homme des Glaces, crois-le ou non, qui attire le plus de monde.

— J'ai remarqué.

— Il représente un bon tiers de mes revenus. Un jour viendra peut-être où je prendrai une semi-retraite. J'installerai juste l'Homme des Glaces quelque part et je continuerai à le montrer. Je n'aurai pas les mêmes dépenses qu'aujourd'hui et je crois que je gagnerai bien ma vie. Tu vois, les gens changent, et ils n'aiment plus trop venir regarder des monstres. C'est le règne du « politiquement correct », je suppose. En revanche, ils n'éprouvent aucune culpabilité à visiter mes enfants, que tout le monde appelle les Merdeux en Conserve, et l'Homme des Glaces, parce qu'ils sont déjà morts. Ils veulent bien payer quand ce qu'ils voient ne peut pas leur rendre leur regard.

— C'est bien un homme de Néandertal, comme vous l'avez dit ?

— J'ai dit que ça *pouvait* en être un. Mais il a l'air un petit peu trop parfait pour ça, tu ne trouves pas ?

Comme Bill ne savait pas à quoi ressemblait un Néandertal imparfait, il garda son opinion pour lui.

— Vous avez déjà eu des pannes d'électricité ? Si ça se produisait, est-ce qu'il ne tomberait pas en morceaux assez vite ?

— J'ai pris mes précautions. Alors, qu'est-ce que tu en penses ? Marché conclu ?

Ils échangèrent une poignée de main.

17

Le matin, Bill se réveillait entortillé dans ses couvertures et son lit de camp grinçait quand il roulait sur le côté pour regarder la tombe réfrigérée de l'Homme des Glaces.

C'était la même chose chaque nuit. Il n'aimait pas dormir dans cette remorque. Pour réussir à trouver le sommeil, il étalait une couverture sur la vitre du congélo. Il ne savait pas très bien ce que ça changeait, mais au moins il se sentait mieux.

Parfois, il rêvait que l'Homme des Glaces respirait et qu'il l'entendait aussi distinctement que son propre souffle. Inspiration. Expiration. Et par-derrière, il y avait le battement d'un cœur. *Boum. Boum. Boum.* À n'en pas douter, un cœur très ancien et exsangue. Et puis venaient les coups contre la vitre. De plus en plus désespérés, ils se mettaient en phase avec la respiration de l'Homme des Glaces et les battements de son cœur mort... et Bill essayait de se réveiller pour mettre un terme à ce rêve, mais il avait peur de s'apercevoir à ce moment-là que tout était bien réel. Au moins, un rêve n'était qu'un rêve.

D'autres fois, il croyait que le verre se fendillait, ou que quelqu'un marchait derrière lui, et quand il brisait le sortilège du sommeil et qu'il se tournait en sursautant, en haletant, il n'y avait que le congélateur et la couverture étalée dessus, le moteur qui bourdonnait et son petit ventilateur qui brassait l'air. Il comprenait alors que ces bruits venaient de ces deux appareils et du vent qui, à l'extérieur, secouait la remorque – et que tout cela s'alliait pour lui ficher une trouille d'enfer.

S'il coupait le ventilateur, l'atmosphère devenait chaude et poisseuse, et il ne parvenait plus à roupiller du tout. Alors, il le laissait branché. Et cette machine, le vent et le congélo l'obligeaient à affronter l'Homme des Glaces.

Quand il n'y dormait pas, son nouveau domicile n'était pas si mal que ça. Durant la journée, Bill conduisait le camping-car de Frost. La remorque, elle, était tirée par un tracteur de semi dont Conrad prenait le volant. L'homme-chien portait un chapeau de cow-boy noir très enfoncé sur sa tête et il se perchait sur un coussin en cuir. Pour atteindre les pédales, il utilisait, fixés à ses jambes, deux dispositifs qui ressemblaient un peu à des béquilles. Sur la route, on aurait dit un gars qui a du mal à digérer son dernier repas.

Lorsque leur caravane s'arrêtait quelque part, la fête ouvrait assez rapidement au public. Et une fois les derniers visiteurs partis, Bill reprenait possession de la remorque. À ce moment-là, il l'appréciait – avant le retour du vent, du ventilo et du congélateur. Il avait même le courage de poser son dîner sur la vitre et de manger en allumant de temps en temps le sèche-cheveux pour apercevoir le visage du mort. Plus tard, quand ils se trouvaient dans une zone où ils pouvaient capter quelque chose, il se débattait avec une antenne intérieure recouverte de papier d'aluminium pour attraper une chaîne TV, ou alors il écoutait la radio – de la musique ou du baratin, n'importe quoi du moment que c'était du bruit.

Conrad lui prêta des livres, et Bill fut surpris par le sentiment de compagnie qu'il en tira. Il n'avait jamais lu, à part quelques articles du *Reader's Digest*, mais il découvrit que les westerns l'apaisaient. La plupart étaient signés par un dénommé Louis L'Amour, mais il préférait ceux, plus anciens, d'un certain Luke Short. D'autres bouquins racontaient des histoires de gars qui jouaient de la mitraillette et tuaient un maximum de monde, puis qui baisaient à tire-larigot et s'envolaient en avion vers de nouvelles aventures. Il se demanda s'il avait une chance de trouver le même genre de boulot et quelles étaient les conditions d'embauche.

Mais radio et télé ou pas, livres ou pas, au fur et à mesure que la soirée avançait, il commençait à se sentir mal à l'aise. Il repensait à l'Homme des Glaces.

Les nuits où il ne trouvait pas le sommeil à cause de lui, il allait traîner dehors. C'était en général un pré ou un espace vert où Frost avait obtenu l'autorisation de s'installer. Bill contemplait le ciel et le paysage qui l'entourait, et il essayait de réfléchir à un projet d'avenir. En vain. De toute manière, il ne savait même pas dans quelle direction chercher. Et sa dernière tentative de « projet d'avenir » n'avait pas vraiment été convaincante... Ça ne l'incitait guère à se remuer le cul de nouveau.

Au cours d'une soirée où il errait sans but dans le campement, il découvrit Conrad couché sur le toit du camping-car de Frost. L'homme-chien se trouvait assez loin et lui tournait le dos. Il ne bougeait pas, une oreille collée contre la tôle. Au début, Bill pensa qu'il espionnait les ébats de Frost et de Gidget – leurs respirations lascives et les couinements de souris des ressorts de leur lit.

Mais une fois ses yeux accoutumés à l'obscurité, il vit que Conrad était couché sous une couverture et la tête sur un oreiller. Il dormait là, comme un animal de compagnie, auprès de son maître, dans l'attente de quelque friandise, avec ses rêves et son rasoir.

Les premières pensées de Bill furent : *Et quand il pleut ? Où roupille-t-il, alors ? Sous le camping-car ? Est-ce qu'il a un panier, là-dessous ? Et une écuelle ?*

Mais il semblait qu'il ne pleuvrait plus jamais – ils n'avaient plus vu une goutte depuis ce jour, dans les marais, où un orage avait rafraîchi son visage dévoré par les moustiques. Il faisait une chaleur torride, avec un vent féroce qui ne laissait aucun répit, et l'air était si fragile qu'un simple mouvement de la main aurait pu y ouvrir une brèche.

Chaque fois que Bill, incapable de trouver le sommeil, sortait de sa remorque pour se promener dans la nuit, Conrad était là. Parfois, le camping-car était secoué par les parties de jambes en l'air de ses propriétaires – et, sur le toit, Conrad dormait, aussi heureux qu'un bébé dans son fauteuil-balançoire.

Observer Conrad devint pour Bill une espèce de distraction. Il se glissait dehors, dans l'obscurité, il contournait la remorque et se postait à un endroit d'où il apercevait le camping-car de Frost.

Conrad était presque toujours à son poste. Une nuit, Bill y vit aussi la femme à barbe. Elle s'était mise à quatre pattes, sa robe retroussée sur ses fesses bien en chair et sa culotte enroulée autour d'une cheville. Conrad était nu ; il n'avait gardé que ses chaussures. Il la montait par-derrière, ce qui prouvait qu'il pratiquait effectivement la chose en levrette.

La femme à barbe avait rejeté la tête en arrière, et à la façon dont sa barbe pointait, elle ressemblait à ces photos du Sphinx que Bill avait vues quelque part. Conrad mettait un tel enthousiasme à la tâche sur le cul rond et blanc qu'il évoquait un peu un enfant se débattant avec un ballon sur lequel il s'est couché pour s'amuser. Au bout d'un moment, il se calma, trouva ses repères et le camping-car commença à tanguer. Bill en conclut que les deux freaks s'étaient accordés au rythme de la copulation de Frost et de Gidget, en dessous d'eux – un quatuor partageant la même cadence sexuelle, à défaut du même espace.

Bill contempla la scène avec une espèce de stupeur. Finalement, la partenaire de Conrad leva la tête encore plus haut, tendit sa barbe vers la lune et poussa un grognement qui parvint jusqu'à lui, alors même que Conrad concluait, tressautant comme un condamné à mort qui reçoit sa décharge sur la chaise électrique. Ils se couchèrent l'un près de l'autre et Conrad tira une couverture sur eux. Mais le camping-car continua à se balancer. Soit Frost était long à finir, soit il bataillait pour réussir un doublé.

Toute l'affaire donna à Bill une sensation de solitude comparable à celle que ressent le dernier porc dans la queue qui mène à l'abattoir.

Conrad conduisait la remorque de l'Homme des Glaces, et cela déplaisait à Bill. C'était visiblement une mission importante, alors que lui-même ne s'était vu confier que le camping-car de Frost. Au départ, il avait cru que c'était un honneur, mais il avait fini par comprendre que l'Homme des Glaces était, au moins pour Frost, le membre le plus important de la fête foraine et que seul Conrad, l'homme de confiance, pouvait s'en charger. Ou le *chien de confiance*. Qu'importe. C'était lui qui l'avait, même si, pour ça, il devait s'asseoir sur un coussin et actionner les pédales avec ses foutues béquilles !

Bill finit pourtant par oublier son ressentiment et apprit à tirer fierté de ses propres responsabilités : Gidget avait pris l'habitude de rester au lit pendant qu'il conduisait, au lieu d'accompagner Frost ou de se mettre au volant de leur voiture. Elle aimait dormir jusqu'à leur arrivée et leur installation dans la ville suivante. Alors elle sortait pour s'aérer un moment et fumer des cigarettes, toujours vêtue de shorts et de T-shirts trop étroits pour la contenir.

D'après ce qu'il pouvait en voir, elle ne travaillait jamais, en dehors de ce qu'elle fabriquait la nuit avec Frost. Peut-être estimait-elle que c'était un boulot suffisant ? Bill savait qu'à la place de Gidget il aurait considéré cela comme une occupation à plein temps, et avec heures supplémentaires. Et peut-être même une petite prime de risque pour s'occuper de cette troisième main...

Bill aimait bien avoir la fille avec lui dans le camping-car quand il conduisait. Il respirait son odeur, même quand il était au volant et qu'elle dormait dans sa chambre, derrière la porte. C'était une odeur riche et humide, comme celle d'un cheval écumant.

Un certain matin, il apprécia encore plus sa situation. Ils roulaient vers une petite ville nommée Gladewater, à l'entrée de laquelle ils avaient prévu de s'installer, devant ce que Frost appelait « une rangée de bouis-bouis ».

Sur le tableau de bord, se trouvait un miroir dont Gidget se servait pour se maquiller et se coiffer. Bill s'y examina et fut ravi de ce qu'il y découvrit – un visage libéré des boursouflures et de l'étrangeté. Plutôt beau, en fait, et c'était bien le seul truc dont il pouvait être fier, alors même qu'il n'y était pour rien. C'était un cadeau involontaire de la nature – comme un joueur de black jack qui retourne une carte et découvre un roi.

Et pourtant, accident ou dessein divin, c'était sa gueule. Elle était presque redevenue normale, elle était juste fatiguée et encore un peu marbrée.

Mais ce jour-là, ce ne fut pas son propre reflet qui l'intéressa le plus, car le miroir lui montrait la porte de la chambre ouverte.

Et dans son encadrement se tenait Gidget, les traits encore bouffis de sommeil et les cheveux emmêlés. Et elle était aussi nue qu'au jour de sa naissance, mais certainement plus jolie qu'à ce moment-là, et elle se démenait pour se glisser dans un short en jean avec la ferveur d'un cavalier de rodéo essayant de renverser un bœuf pour le marquer au fer rouge ; elle balançait son petit cul lisse d'avant en arrière tel un pendule, et offrait à Bill une vision frétillante d'autres charmes, des seins tremblotants, des jambes longues et soyeuses, bronzées et musculeuses, une fourrure sombre en V couvrant ce qu'Ève avait utilisé pour venir à bout d'Adam. Une pomme, tu veux rire ! Tout le monde savait ce que voulait Adam et pourquoi il avait fait ce qu'il avait fait. Des femmes comme ça, comme Ève, comme Gidget, étaient capables de vous faire incendier une maison de retraite et taper à coups de pelle sur la tête des survivants qui en sortiraient en courant ! Des femmes comme ça, oh oui, c'était foutrement sûr qu'elles n'auraient pas beaucoup à insister pour convaincre un type de voler une pomme !

À la grande déception de Bill, Gidget finit par se glisser dans son short. Elle se redressa, puis elle se tourna et regarda dans sa direction, et à son expression, il comprit qu'elle savait qu'il était en train de la zieuter dans la glace. La fermeture Éclair du short, baissée jusqu'en bas, révélait la crinière de la bête. Gidget ne fit aucun effort pour couvrir ses seins nus. Quand elle se pencha lentement pour attraper la porte coulissante, Bill eut l'impression qu'ils allaient quitter sa poitrine et plonger vers lui en piqué. Elle referma.

Bill reprit sa respiration et remit le camping-car dans ses rails.

Un quart d'heure plus tard, et pour la première fois depuis plus d'un mois, il commença à pleuvoir. D'abord tout doucement.

Bientôt, ce fut un véritable déluge.

18

Deux jours plus tard, un soir, après le départ du public, Bill, incapable de dormir comme à son habitude, était en train de pisser devant la porte de la remorque. Il aurait pu faire ça dans ses toilettes, mais il s'était retrouvé là, dehors, dans le noir, en proie à une envie pressante. La nuit était fraîche, encore humide de la pluie, et un brouillard bas flottait sur toutes choses. Bill avait l'impression d'être enfermé dans un flacon bouché par du coton hydrophile – comme ceux qu'on utilise pour tuer les insectes : t'y fourres l'animal, tu trempes ton coton dans de l'alcool ou un truc de ce genre, tu l'enfonces dans le goulot du flacon et ta bébête crève asphyxiée.

Quelques lampes de la fête étaient encore allumées, ainsi que les porches de deux remorques, et il semblait y avoir de l'ambiance, là-bas, même si ce n'était pas vraiment le cas. Ils n'avaient pas encore démonté le tourniquet. Ils ne feraient ça que le lendemain. On aurait dit un engrenage, détaché d'un Meccano de Dieu, que tout le monde aurait oublié.

Bill entendait le nègre à deux têtes se passer des cassettes de blues et de soul music dans sa remorque. C'était souvent le cas et quand il faisait trop de boucan, il fallait lui tomber sur le râble, mais ce soir le volume était supportable, et là c'était *Soul Man*, une chanson que Bill aimait bien.

Il l'écouta en se vidant la vessie, puis il remballa son matériel, et il était sur le point de rentrer pour s'offrir un western de J.D. Hardin avec de solides passages de cul, quand le morceau changea et que la musique monta d'un cran avec *Shout* des Isley Brothers. Bill en profita quelques secondes et puis la porte de la remorque s'ouvrit brusquement, et Double Buckwheat sortit en dansant.

Enfin, un genre de danse. Bill n'aurait pas su dire si c'en était une ou non. Il – ou ils – se mi(ren)t à tituber aux quatre coins du pré, se baissant ici, tressautant là. Deux têtes de nœuds embarquées dans des rythmes qu'un corps unique n'avait aucun moyen d'inventer.

Ils tentèrent de prendre des directions différentes tout en chantant, sans être doués pour ça. Finalement, ils s'écroulèrent dans le champ et recommencèrent ce qu'ils faisaient aux repas, ils se tortillèrent dans l'herbe humide en hurlant et en s'administrant mutuellement des claques. Ils paraissaient ivres.

Les cris et la musique firent apparaître plusieurs têtes aux portes des remorques et parmi les curieux Bill aperçut U.S. Grant, la femme à barbe. Vêtue d'une courte chemise de nuit, elle se tenait sur le seuil et essayait de voir ce qui se passait. Bill distingua un visage derrière elle, dans la lumière de la petite véranda. C'était Phil-la-Bite-Qui-Bande-à-Moitié-en-Permanence. Son visage semblait flotter juste derrière l'épaule de la dame, comme un ballon au bout d'une ficelle. Et son bras était passé autour de la taille d'U.S. Grant. Phil pensait sans doute être invisible, mais Bill le vit.

Et Conrad aussi.

Comme il avait plu, il n'avait pas pris ses quartiers sur le toit du camping-car de Frost. Bill ne savait pas exactement où l'homme-chien s'était installé, ce soir, mais il apparut brusquement entre la remorque des Merdeux en Conserve et celle d'U.S. Grant. La musique et les cris l'avaient réveillé, comme quelques autres.

Il grimpa à quatre pattes les marches menant chez la femme à barbe et il passa entre ses jambes pour pénétrer chez elle. Elle faillit en tomber à la renverse. L'instant d'après, on entendit un hurlement à vous glacer les veines et Phil s'échappa du véhicule, le cul à l'air, une estafilade sur les fesses. Ses cheveux brillantinés roulaient en tous sens sur son crâne. Il se mit à faire des

111

bonds, éclaboussant de son sang tout ce qui l'entourait – les gouttes semblaient s'élever au ralenti, s'immobiliser dans l'espace, tels des joyaux au milieu de la nuit ouatée et des dernières lumières de la fête foraine, puis elles retombaient et explosaient au contact de l'herbe mouillée.

Bill ne put s'empêcher de remarquer que la quéquette de Phil ne bandait même pas à moitié. C'était évident, même de loin. On ne pouvait tout simplement pas la voir, car elle avait la taille d'une cacahuète... Reconnaissez tout de même que l'air frais et l'apparition d'un homme-chien armé d'un rasoir jaillissant à vos trousses comme une fusée ne favorisaient pas vraiment les érections...

– Fils de pute! gueula Conrad. Quand j'aurai fini de te tatouer, tu ressembleras à une carte routière!

Phil sauta avec agilité et évita la lame qui fendit l'air de nouveau.

– On faisait rien! On regardait juste la télé! protesta-t-il.

– À poil?

Conrad joua encore du rasoir; Phil cria et fit un bond en arrière et Conrad sauta avec lui. Phil essaya de se défendre à coups de pied. L'instant d'après, ils étaient tous les deux par terre et Conrad était sur lui, son arme levée.

Bill pensa que c'était tout aussi bien que ce gars-là ne se fût pas lancé dans la combine du recouvrement de dettes, car, question intimidation, il ne valait pas un pet de lapin. Dans un instant, Frost allait devoir trouver quelqu'un d'autre pour s'occuper du tourniquet et Conrad serait en route pour environ trois cents ans de prison – à moins que, comme un chien que personne ne vient réclamer à la fourrière, il fût normalement euthanasié par simple application de la loi.

Frost apparut soudain, comme sorti de nulle part. Il n'était vêtu que d'un caleçon de soie blanche, et sa peau était tout aussi immaculée dans les lumières de la fête et ses cheveux encore plus. Bill distingua sa troisième petite main sur sa poitrine, qui battait au rythme de ses pas comme pour lui indiquer la direction. Elle était très sombre. On aurait dit qu'on l'avait trempée dans de la peinture noire.

Frost saisit Conrad par la peau du cou. À la grande surprise de Bill, il le souleva sans problème et le secoua si violemment que l'homme-chien lâcha son arme. Alors que Conrad s'agitait dans tous les sens au-dessus du sol, Phil en profita pour se remettre debout et, voyant une ouverture, il shoota dans sa jambe.

Frost, de son autre main libre, l'attrapa par le cou lui aussi et lui écrasa le crâne contre celui de Conrad. Les deux adversaires, assommés, s'écroulèrent sur le sol. Frost prit une profonde inspiration, les dominant comme un Dieu sévère. Bill, qui s'était rapproché, vit que la petite main, sur sa poitrine, était sombre parce qu'elle était protégée par un gant noir.

U.S. Grant sortit de sa remorque en un éclair. Elle s'assit dans l'herbe humide, posa la tête de Conrad sur ses genoux et lui caressa le museau. À côté, Phil gémissait doucement. Bill et presque tous les membres de leur petit groupe se tenaient au-dessus de lui et contemplaient sa nudité. Même Double Buckwheat était là – tandis que sa radio-cassette, en arrière-plan, diffusait maintenant *A Lover's Question*.

Ouaip, une cacahuète, pensa Bill. Les Épingles, les Citrouilles et l'éventail complet des freaks de la fête foraine hochaient la tête et discutaient à voix basse de la même chose, car tous connaissaient l'histoire de la Queue Semi Bandante de Phil.

Frost se pencha sur Conrad. Les yeux de l'homme-chien papillonnèrent.

– Désolé, mon garçon, lui dit-il. Je ne peux pas te permettre de tuer quelqu'un. (Puis, à l'intention de Phil :) Habille-toi un peu et viens dans mon camping-car que je te soigne. Et si c'est trop grave, on t'emmènera aux urgences.

– Ça ira, grommela Phil. (Il repoussa ses cheveux en arrière, puis secoua ses doigts pour se débarrasser de la brillantine.) Mais on peut pas dire que ce putain de Macho de Chien de Cirque n'a pas essayé de me mutiler !

À ces mots, Conrad fit mine de se relever, mais Frost lui appuya une main sur sa poitrine et il retomba sur les genoux d'U.S. Grant. Celle-ci recommença à lui caresser la tête et lui murmura :

– Je suis désolée, Conrad. Je suis vraiment, vraiment désolée.

113

– Vous étiez en train de... baiser ?

– Oui. Mais ça ne valait rien. Il ne valait rien. (Et elle répéta :) Je suis vraiment, vraiment désolée...

– Tu ne valais rien non plus ! cracha Phil. Quels que soient les poils que je fourrais, c'était nul !

– Tu l'as sucé ? demanda Conrad.

– C'est pas entré très loin... répondit-elle. Il n'en avait pas assez pour atteindre le fond de ma gorge.

Conrad grogna. Phil jura.

– C'est juste parce que ça caillait, c'est tout. Sinon, vous en verriez, de la queue, c'est ce que j'essaie de vous dire.

Une des deux têtes de Double Buckwheat répondit :

– C'est pas une Bite qui Bande à Moitié, ça.

Et la seconde tête ajouta :

– La nôtre est plus grosse.

– Allez vous faire foutre ! grommela Phil en se levant.

– Ça n'avait pas d'importance, murmura U.S. Grant à Conrad, en continuant à lui caresser la tête. Je t'assure, ça n'avait pas d'importance.

Conrad laissa échapper un drôle de bruit, comme s'il tentait d'avaler une balle de golf. La femme à barbe essaya de l'aider à se remettre debout, mais elle n'y parvint pas et Conrad, en cet instant, manquait de volonté pour se débrouiller tout seul.

Bill se pencha et le souleva. Conrad le remercia d'un signe de tête, puis, sans un mot, U.S. Grant et lui se dirigèrent vers la remorque de cette dernière. Elle avait une grosse tache de boue et d'herbe écrasée à l'arrière de sa chemise de nuit et Bill se surprit à éprouver de la tristesse pour elle. Il n'avait jamais vraiment pensé qu'un jour il pourrait être concerné par les peines de cœur d'une femme à barbe.

On aurait dit que Conrad avait participé à la plus grande bataille de chiens de l'univers, mais il gardait la tête haute et il lui restait assez de fierté pour baisser son froc, lever la patte et pisser sur le pneu de la remorque de la dame. Il se contenta d'en gravir les marches. U.S. Grant referma derrière eux.

Frost posa une main sur l'épaule de Bill.

– Tu es quelqu'un de bien.

Bill se sentit tout chaud à l'intérieur, et cette sensation le prit par surprise.

– Quant à vous, les garçons, dit Frost à l'intention de Double Buckwheat, coupez cette musique et allez vous coucher. Et vous avez bu, je vois. Demain, on se débarrassera de tout l'alcool que vous avez. Vous ne pouvez pas vous saouler, tous les deux. Vous le savez bien.

– On peut si on veut, dit une des têtes.

Frost la regarda en fronçant les sourcils. La seconde tête s'empressa d'ajouter :

– Mais on ne veut pas !

– Je préfère ça, dit Frost.

Maintenant, on entendait *Blue Moon*, et « les garçons » regagnèrent leur remorque au rythme des notes de la chanson de Presley ; ils refermèrent derrière eux et juste au moment où les Temptations attaquaient *Can't Get next to You*, le silence revint.

Frost regagna son camping-car avec sa petite main noire qui se balançait sur sa poitrine et son grand corps blanc qui flottait dans la nuit au-dessus de l'herbe mouillée. Bill aperçut Gidget dans l'entrebâillement de la porte, éclairée de dos par la lumière qui brillait à l'intérieur. Elle portait un slip si minuscule qu'il aurait pu être taillé dans une guirlande de Noël noire. On distinguait les poils blonds qui en ourlaient les bords. Elle avait un haut tout aussi mini qui ne couvrait que la partie supérieure de ses seins. On aurait dit deux superbes demi-lunes sous une couverture nuageuse. Elle jeta un coup d'œil à Bill et disparut.

Frost monta les marches et pénétra à son tour dans le véhicule. Un moment plus tard, Phil, les reins ceints d'une serviette, le suivit comme un élève convoqué dans le bureau du proviseur. Au moment où il passa devant lui, Bill lui lança :

– Je suppose que quand tu as sauté de la remorque de la femme à barbe, ton cerveau a dû se remettre en place ?

– Comment ça ?

– Quelque chose s'est décoincé dans ta tête et du coup tu n'as plus à souffrir d'une demi-érection permanente...

– Va te faire foutre !

– Par quoi?

Ce dernier coup abattit Phil. Il baissa la tête. À l'évidence, il ne serait jamais capable de récupérer aucune dette. Personne ne se posait plus de question sur la taille de sa zizounette. Il n'arrivait même pas à se faire respecter d'U.S. Grant, la femme à barbe, et il n'avait pas assez de queue pour lui remplir la bouche – comment, alors, aurait-il pu gérer un réseau de putes?

Il n'était bon que pour le tourniquet et la brillantine. Point final.

19

Le lendemain matin, on découvrit que le tourniquet était toujours à sa place, mais pas son propriétaire. Phil s'était tiré avec sa caravane sans se soucier d'emporter l'attraction.

Avant de décamper, il avait finalement décidé de changer de carrière. Il avait forcé l'entrée de la remorque des Merdeux en Conserve et défoncé la paroi coulissante, exposant ainsi l'intérieur du véhicule à la curiosité de ses anciens compagnons.

Phil avait embarqué les bocaux des Merdeux, plus quarante-huit dollars et cinquante-deux cents, un jambon en boîte et deux paquets de M&M. À part les Merdeux, le reste appartenait à Conrad. Bill découvrit qu'il vivait là avec un petit frigo, une plaque électrique, une paillasse sur le sol, un oreiller graisseux et, fixé au mur avec du ruban adhésif, un portrait chiffonné de Jésus-Christ découpé dans un magazine.

C'était un de ces dessins où le Fils de Dieu était crucifié, mais ici on ne voyait ni la croix, ni son corps, juste son visage. Il avait l'air enflé. Il avait une couronne d'épines sur la tête, des larmes qui coulaient sur ses joues et du sang sur son front. L'image donnait l'impression d'avoir été roulée en boule, puis défroissée, peut-être avec un fer à repasser. Dans la violente lumière du jour, avec tous ces petits plis, le Sauveur pâlichon ne paraissait pas seulement souffrir – il avait l'air vieux, fatigué, déçu et en manque d'une bonne séance de lampe à bronzer.

Il y avait des cartes éparpillées sur le sol, près de la paillasse de Conrad. L'une d'elles, retournée – un Joker –, portait l'empreinte d'un talon, sans doute celui de Phil.

– Ce n'est pas grand-chose, mais c'est mon chez-moi, dit Conrad.

Il fumait une cigarette, assis à côté de Bill. Les Pointes d'Épingle et Double Buckwheat se tenaient un peu en retrait, derrière eux, et ils considéraient la pièce dévastée qui avait été le foyer de Conrad et d'un assortiment de bébés foirés conservés dans l'alcool.

– Tu ne devrais pas avoir à dormir par terre, murmura Bill.

– J'suis pas obligé, répondit Conrad. Mais j'aime ça. Pour une raison ou une autre, abîmé comme je suis, un lit ne me réussit pas aussi bien. J'attrape un mal de dos affreux et le kiné ne sait jamais par quel bout me prendre. Les toubibs s'imaginent que je devrais plutôt aller voir un véto, j'crois bien. Donc, je dors par terre ou sur le toit du camping-car de Frost, vu que c'est le plus confortable de tous nos véhicules.

Les autres freaks se lassèrent de contempler la paillasse de Conrad, le Christ froissé, l'emplacement vide où s'étaient trouvés les Merdeux, et ils s'éloignèrent d'un pas nonchalant.

– Au fait, merci de ton coup de main, hier soir, ajouta Conrad.

– Oh, c'était que dalle. Je t'ai juste aidé à te remettre debout.

– C'est déjà bien... Bon sang, je ne lui en veux pas.

– Pardon ?

– Elle n'a pas pu s'en empêcher. Elle voulait un partenaire qui ne soit pas un freak. Je suppose que si je rencontrais une femme normale qui accepte de coucher avec moi, je n'hésiterais pas une seconde non plus. Même si elle est tellement moche que pour boire un verre d'eau elle doit l'attraper par surprise ! Ça me donnerait le sentiment de ne plus être du mauvais côté de la barrière. D'être comme tout le monde. J'ai pété les plombs, hier soir, mais je lui pardonne. Je ne prends pas ça comme quelque chose de personnel. C'est impossible.

Bill se dit que lui, il aurait pu, mais il préféra changer de sujet. D'un signe de tête, il indiqua le Christ, sur le mur.

– J'vois que tu es croyant, dit-il.

– J'ai juste aimé le dessin. Un soir, un gosse l'a roulé en boule et me l'a jeté dessus. Par curiosité, je l'ai déplié et c'était ce gars-là. Avec ça, j'ai l'impression d'avoir un peu de compagnie. De temps en temps je faisais une réussite et j'imaginais qu'il jouait contre moi et que les Merdeux regardaient. Tu sais, comme des types qui observent deux pros des cartes en plein boulot... J'étais obligé de le virer du mur quand on montrait les Merdeux au public. Bon sang, ces M&M vont me manquer ! Et ces quarante dollars et quelques, c'est tout ce que j'avais réussi à économiser. J'claque trop d'argent pour ces foutus M&M. C'est comme de l'herbe à chats, pour moi. Et U.S. Grant les aime aussi.

Les yeux de Conrad s'étaient embués. Bill lui tapota gentiment l'épaule, un geste qui le surprit lui-même.

Conrad toussa et regarda par terre. Pour lui laisser un semblant d'intimité, Bill s'intéressa au tourniquet. Le soleil matinal consumait rapidement le brouillard et des ombres profondes se formaient autour de sa structure métallique. Bientôt, cependant, des nuages noirs recommencèrent à grossir dans le ciel, comme un cancer de la peau, tandis que dans le lointain retentissaient les grondements d'un ventre affamé.

Frost dut se rendre en ville pour prévenir la police et solliciter son intervention à propos de Phil. Pendant ce temps, Bill et les autres se mirent en route pour rejoindre leur emplacement suivant. Ils laissèrent le tourniquet sur place et chargèrent le reste. Bill prit le volant du camping-car. Bridget dormait à l'arrière, comme d'habitude.

Bill était le dernier de leur caravane. Le tronçon de nationale qu'ils empruntèrent était bordé de maisons en planches à clin, avec des cours de gravier et d'herbe brûlée pleines de gosses noirs et de poulets à l'air mauvais. Bill dépassa au moins six stations-service incendiées, dont trois dépouillées de leurs pompes – seules restaient les fondations en béton sur lesquelles elles avaient reposé et les barres de fer qui les avaient maintenues.

Ils arrivèrent sur une portion de route à quatre voies. Bill pensa que les choses n'allaient peut-être pas si mal que ça, après tout... Il s'habituait plus ou moins à la fête foraine. Il commençait même à trouver les freaks « normaux » et il s'était intégré à cette petite communauté aussi bien qu'à n'importe quelle autre. Voire mieux, peut-être : ses discussions avec Conrad étaient plus intéressantes que celles qu'il avait jadis avec Fat Boy et Chaplin.

La porte de la chambre coulissa et Gidget, vêtue d'un slip en soie verte et d'un haut de pyjama assorti qui ne tenait qu'avec un seul bouton, s'avança pieds nus et se laissa tomber à côté de lui, sur le siège du passager. Elle se tourna vers lui, croisa les jambes très haut et le considéra avec cette expression boudeuse qui donnait envie de la gifler et, l'instant d'après, de la baiser.

— On a retrouvé Phil ? demanda-t-elle.

— Pas encore. Frost est allé en ville pour s'en occuper, répondit Bill.

— Quelle ville ?

— Celle où on était hier soir.

— Tu veux dire, derrière nous ?

— Ouais.

— Il n'est pas avec nous ?

— Naan.

Gidget resta silencieuse un moment pour réfléchir à cette information. Elle se regarda dans le miroir posé sur le tableau de bord et parut apprécier ce qu'elle y voyait. Elle redressa une mèche d'une chiquenaude et s'intéressa de nouveau à Bill.

— Tu sais, tu ressembles un peu à James Dean. Avec des cheveux plus foncés.

— Le gars des saucisses ?

— Comment ?

— Il vend des saucisses. Avant ça, il chantait de la country.

— J'sais pas qui c'est... Je te parle de James Dean, la vedette de ciné.

— Inconnu au bataillon.

— *À l'Est d'Eden... Géant...* Il est mort dans un accident de voiture.

— Celui que je connais, c'est Jimmy Dean. Il vend des saucisses. Elles sont pas mauvaises. Et j'sais pas s'il est mort ou pas en voiture.

– J'm'en fous, des saucisses ! grommela Gidget.

– J'te signale que c'est toi qui en as parlé.

– J'ai dit que tu ressemblais un peu à James Dean, l'acteur, j'ai jamais parlé de saucisses. J'arrive pas à croire que tu ne saches pas qui est James Dean.

– Ouais, et moi j'arrive pas à croire que tu ne saches pas qui est Jimmy Dean ! On le voit à la télé tout le temps et il vend des saucisses.

– James Dean passe à la télé aussi. Dans de vieux films.

– Je ne m'intéresse pas beaucoup au ciné, avoua Bill.

– Ben, tu rates un truc ! Moi, j'ai grandi en bouffant de la télé. De toute façon, j'avais pas grand-chose d'autre à branler. Maman et moi, on la regardait ensemble, tard dans la nuit. Elle venait s'installer dans ma chambre. C'était quand mon beau-père était saoul et qu'il essayait de la frapper. Elle disait que mon prénom venait d'un film qu'elle adorait. Tu vois lequel ?

Bill fit non de la tête.

– Je suppose que si tu ne sais pas qui est James Dean, y'a pas une putain de chance que tu connaisses une toile intitulée *Gidget* [1]. Toujours est-il qu'elle l'a vu à la télé, une fois, avec mon père, et elle m'a raconté que ça l'avait rendue romantique, et du coup ils ont baisé et ils m'ont fabriquée. Ils ont été obligés de se marier à cause de moi. Papa disait que ma mère était une chienne venue de l'enfer et que moi, j'étais sa petite chienne. Il disait toujours ça, comme si on n'était pas humaines.

– Qu'est-ce qui lui est arrivé, à ton paternel ?

– Il a sorti la tête par la fenêtre de notre voiture et il s'est payé un poteau indicateur. C'était ma vieille qui conduisait. Sur le moment, elle ne s'est même pas aperçue qu'il s'était cogné. Il a baissé la vitre, il a mis sa tronche dehors, et un instant plus tard elle a entendu un claquement sec, et il s'est rassis dans la bagnole, la gueule tournée dans l'autre sens, et elle ne s'est doutée de rien. Elle lui a parlé pendant huit kilomètres, qu'elle a dit, avant de se rendre compte qu'il ne répondait pas et qu'en plus il puait la merde. Tu vois, quand il a percuté ce truc, il s'est chié

1. Un film de Paul Wendkos, né en 1922, surtout connu comme réalisateur de séries télévisées (N.d.T.).

121

dessus. C'était pas de sa faute – c'est juste que tes muscles et tes boyaux se relâchent quand tu meurs subitement...

– Mais qu'est-ce qu'il lui a pris de sortir sa tête comme ça ?

– D'après maman, il le faisait toujours. Comme un chien. Il trouvait ça marrant. Sauf que ce jour-là, elle roulait trop près du bord de la route et que ce panneau ne l'a pas loupé. J'ai fini par voir ce film.

– Quel film ?

– *Gidget*. Et il était nul. Y'avait rien là-dedans qui pouvait te donner envie de baiser qui que ce soit. Je suppose que ma vieille s'est simplement envoyée en l'air pendant qu'il passait, et qu'elle s'est souvenue du titre. C'est pas possible autrement, parce qu'il n'y avait rien de sexy dans cette histoire. En tout cas, pas pour moi. Mais bon, les gens peuvent être excités par des tas de trucs. En tout cas, mon nom vient de cette nana qui y jouait. Le nom de son personnage.

Bill estimait qu'il valait mieux prendre les choses comme elles venaient, mais il ne put s'empêcher de demander :

– Tu m'as jamais adressé la parole. Pourquoi tu te montres aimable, tout d'un coup ?

– Tu n'es plus aussi effrayant à regarder. Je fréquente assez de freaks dans cette fête foraine. Aucune envie de devenir copine avec eux. Au départ, je voulais être mannequin, pas la femme d'un montreur de monstres.

– Pourquoi t'as pas pu ?

– Trop de nichons et de cul, pas assez de jambes et de cou.

– J'vois pas ce qu'il y a de si mal à ça.

– Ah, ouais ? fit-elle.

– Je trouve ça chouette.

– *Chouette !* Merde ! Tu te couperais un pied pour me sauter ! J'ai peut-être pas beaucoup d'éducation, mais je connais les hommes.

– Si t'en sais tant que ça et si tu détestes les freaks à ce point, pourquoi t'en as épousé un ?

– T'es pas gentil. Je croyais que t'étais gentil, parce que t'en avais l'air, mais je me suis trompée. Et maintenant que je te vois mieux à la lumière, tu ne ressembles pas tellement à James Dean, de toute manière.

Elle essayait de paraître furieuse, mais Bill pensa qu'elle n'était pas si fâchée que ça. Elle retourna dans la chambre et claqua la porte derrière elle.

Bill avait l'impression qu'un camion lui avait roulé dessus. Il renifla l'air. Il était imprégné de son parfum, alors même qu'elle n'en avait pas mis.

Elle avait raison. Il était prêt à couper son putain de pied pour la sauter !

20

Bill poursuivit sa route en pensant à Gidget. À midi, la lumière commença à diminuer. L'air était lourd et les nuages ressemblaient à des outres trop gonflées. Des éclairs ouvraient les braguettes du ciel au-dessus des pins, et exhibaient leurs queues de lumière brûlante.

Bill fut alors témoin d'une chose remarquable.

Loin devant lui, sur le macadam, il vit soudain une zone plus sombre que tout ce qui l'entourait. On aurait dit qu'un nuage s'était posé sur le sol. Il était rond et lisse et il roulait vers eux comme une balle de bowling.

Et quand il les heurta, c'était un mur solide de vent et de pluie. Le choc emporta le camping-car. Désormais incontrôlable, il tangua dans un vacarme de ferraille. Bill entendit Gidget hurler et s'écraser contre le mur de la chambre.

Leur véhicule quitta la route, entre deux pins rabougris. Il plongea dans un fossé et en ressortit parce que l'autre rive était presque plate. Il grimpa sur une étendue herbeuse, continua à glisser un moment, puis il monta sur une espèce d'avancée de béton, frôla une table de pique-nique en métal et se débrouilla pour percuter autre chose.

Quand Bill retrouva ses esprits, il était au milieu d'un bouquet de grands chênes, sur une aire de repos. Ils avaient heurté un panneau célébrant l'histoire de l'endroit.

Il laissa tourner le moteur et alluma les essuie-glaces. La tempête les secouait. Un éclair frappa un chêne et y sectionna une

branche qui était à peu près de la taille d'un poteau télé-
phonique ; elle s'écrasa par terre devant le camping-car. Une de
ses ramifications vint balayer son avant et son toit, éparpillant
des feuilles sur le pare-brise.

Gidget sortit de la chambre d'un pas mal assuré.

— Espèce de fils de pute ! T'as vraiment un permis de
conduire ?

— Pas pour un truc comme ça... répliqua Bill.

Il mit le levier de vitesse en position arrêt et se laissa aller
contre son dossier pour observer la folie de la nature au-delà du
pare-brise, entre les feuilles qui l'encombraient. Dehors, les
débris végétaux, la terre et les détritus étaient brassés comme
par un sèche-linge géant.

— Dieu du ciel ! s'exclama Gidget. On est pris dans une tornade ?

— On vient de se payer une espèce de boule de vent noir. Oui,
je suppose qu'on se trouve juste à la lisière d'une tornade.

La foudre fit claquer son fouet et l'intérieur de leur véhicule
se chargea d'électricité. Bill sentit frétiller les poils de son nez.

— Seigneur tout-puissant ! souffla Gidget.

Elle s'installa sur le siège du passager et contempla les élé-
ments déchaînés en frissonnant. Il y avait un paquet de cigarettes
et un briquet dans le petit vide-poche du tableau de bord. Elle
s'en empara et les garda sur ses genoux. Puis elle les reposa d'un
geste inquiet.

Par la fenêtre latérale, Bill regarda la route à travers les
arbres. Il y eut un bruit violent et il vit quelque chose qui arrivait
vers eux en tressautant et en crachant une lumière jaune. Il
comprit qu'une ligne à haute tension venait de se rompre et
qu'elle zigzaguait au-dessus des arbres. Elle s'abattit sur la
branche d'un chêne et tomba comme un fil de pêche où aurait
mordu une anguille électrique. Son extrémité heurta le béton de
l'aire de repos, crépita, se tortilla, et se mit à danser près du camping-car.

Gidget cria et se réfugia d'un bond sur les genoux de Bill. Elle
passa ses bras autour de son cou. Il s'aperçut qu'il avait glissé sa
main sur sa peau douce, au creux de ses reins, sous son haut de

pyjama. Elle était tiède et moite de sueur. Gidget déglutit en le regardant les yeux écarquillés, les pupilles dilatées. Elle le serra encore plus fort et considéra de nouveau le câble électrique qui continuait à tressauter à peu de distance.

— Ça me fout les jetons, murmura-t-elle.

— Moi aussi, répondit-il.

— Peut-être que tu devrais arrêter les essuie-glaces. Je ne crois pas qu'on ira où que ce soit pour le moment, et les feuilles risquent de les bloquer...

Bill se pencha en avant et s'exécuta tout en veillant à garder Bridget sur ses genoux. Le calme revint dans le camping-car. À l'extérieur, il y avait la pluie, le vent et la ligne à haute tension qui crépitait.

— On aurait pu y rester, si ce câble nous avait touchés, souffla-t-elle.

— J'imagine.

— On aurait été électrocutés, n'est-ce pas?

— J'en sais rien. Peut-être que ce truc est suffisamment isolé?

— Non, on aurait été tués. Et même maintenant, on n'est pas très loin de la mort. Si le vent tourne, il peut nous le balancer dessus...

— Je vais essayer de reculer pour nous dégager de ces branches.

Mais il ne put pas, car Gidget ne bougea pas d'un pouce.

— La mort rôde tout autour de nous, ajouta-t-elle. Elle est là en permanence, tu sais?

— Je suppose.

— Y'a rien à supposer. Elle est vraiment là. Sauf que, parfois, elle prend un certain temps pour te le faire savoir.

Elle rapprocha son visage du sien. Bill sentit la fraîcheur de son haleine. Sans vraiment y songer, il laissa sa main glisser sur le haut de ses fesses qui était moite, à travers le mince tissu vert.

— Un simple changement de direction du vent, et ce câble qui bouge un peu... et notre vie est finie, souffla-t-elle.

Elle se pencha encore un peu plus, et il l'embrassa.

Elle lui mordit la lèvre inférieure, assez fort pour le faire saigner.

126

Elle s'écarta légèrement de lui en souriant. Il y avait du sang sur sa bouche. Elle déboutonna le haut de son pyjama.

– Et les autres ? souffla Bill.

– Ils ne sont pas là. Ils sont perdus quelque part dans cette tempête, eux aussi. Avec un peu de chance, elle les a emportés.

– Et Frost ?

– Il a une main au milieu de la poitrine.

Elle ouvrit son pyjama et lui montra ses seins.

– *Nom de Dieu !* s'exclama-t-il. (Il repoussa le tissu et s'en empara.) Formidable !

– *Formidable ?* Bon sang, mon chou. Ils sont encore mieux que ça !

Il suça un de ses tétons. Sa peau était couverte d'une légère sueur dont le goût lui rappela son odeur. Il passa d'un téton à l'autre, puis à son visage. Il l'embrassa et lécha son propre sang. Elle se leva un instant, se débarrassa de sa culotte et s'installa à califourchon sur ses genoux, en veillant à laisser un peu d'espace pour tripoter son entrejambe.

Bientôt il fut nu à son tour, et ils étaient par terre. Elle le chevauchait.

Bordel, pensa-t-il. *Qu'est-ce que je fabrique ? Frost a toujours été sympa avec moi et je baise sa femme...*

Dehors, l'électricité grésilla et le vent gémit de plus belle. Le camping-car tangua davantage. Un éclair donna à Bill un bon aperçu des traits de Gidget. Elle avait un visage dur, avec des lèvres bleues et des yeux de la couleur de l'aluminium mouillé.

Ils roulèrent sur le plancher, il passa au-dessus d'elle, entre ses jambes et la pénétra. En cet instant, il comprit qu'il était devenu un autre homme, consumé par le mystère qui détruisit Adam.

Quand ils eurent terminé, ils restèrent allongés ensemble par terre. Elle s'était blottie dans le creux de son bras, avec sa main sur sa poitrine. Le ciel s'était assombri et la pluie martelait leur véhicule. De temps en temps, un éclair, ou le câble qui continuait à crachoter des étincelles, éclairait les ténèbres. À présent, Bill était calme. Il se sentait protégé par la tempête, comme si elle tenait le reste du monde à l'écart et les dissimulait dans leur cocon de métal.

– Je ne vois pas pourquoi tu as épousé Frost si tu ne l'aimes pas et si tu n'aimes ni la fête foraine ni les freaks, dit-il.

– Ça ne t'est jamais arrivé de te retrouver dans une situation sans issue ?

– Si, je crois.

– Alors, tu as compris ce que je veux dire. J'avais dans l'idée de devenir mannequin, mais je n'avais pas le physique pour ça. J'ai le genre de corps qui plaît aux hommes, mais pas aux magazines.

– Je t'ai déjà donné mon opinion sur la question.

– Tous les types qui n'aiment pas sucer des queues ont la même.

Malgré lui, Bill ne cessait de penser à l'Ancien Testament.

– Ève devait avoir un corps comme le tien.

– Suis pas certaine que ce soit un compliment, là, mon petit gars. On a toujours considéré Ève comme quelqu'un de mauvais.

– Elle a foutu le bordel. Introduit le péché dans l'univers.

– Comme si la stupidité d'Adam comptait pour du beurre ! Si quelqu'un a foutu le bordel, c'est bien lui ! Il ne réfléchissait pas avec sa tête d'en haut. Comme tous les hommes.

– C'est qu'elle ne te fait jamais te sentir aussi bien que la petite, celle d'en bas...

– J'ai baisé un pasteur, dans le temps. Il voulait me sauver et il me donnait des cours particuliers sur la Bible. J'avais seize ans. Comme leçon de choses, il m'a montré ce qu'Adam et Ève ont fabriqué ensemble. Ça m'a appris des trucs, pas de doute. Il avait une vieille verrue au bout de la bite. C'est vraiment un plus, ça touche le bon endroit. En dehors de ça, il m'a prouvé que les pasteurs n'en savaient pas davantage qu'Adam, et que ce serait toujours comme ça. Dieu, malgré toute sa bonté, ne sait pas à quoi il a affaire. Le mal, ça fait du bien, mon chou.

– Tu ne m'as toujours pas dit pourquoi tu as épousé Frost et tu t'es embarquée avec cette fête foraine.

– Lorsque ma carrière de mannequin a merdé et que ma mère est morte, je n'avais plus rien vers quoi me retourner. Au fil des ans, mon beau-père avait commencé à m'apprécier davantage, mais pas pour m'aider. Il ne m'a jamais touchée, mais je voyais

128

bien qu'il en crevait d'envie. Il avait le même regard que ce foutu pasteur. Je me doutais qu'il n'avait pas, lui, une verrue bien placée sur la queue et j'ai jamais foutrement eu l'idée de vérifier.

« Alors, je ne suis plus rentrée à la maison, parce que j'avais plus de maison. J'ai filé à Los Angeles, en pensant que je serais peut-être remarquée par un producteur, ou un metteur en scène ou un acteur ou je ne sais qui et que je ferais du cinéma. Je ne savais pas jouer, mais je me disais que je présentais bien. J'étais prête à coucher pour me faire un chemin jusqu'en haut, ou même simplement jusqu'au milieu. J'ai été baisée par beaucoup de types qui m'ont promis de m'introduire dans le circuit, mais tout ce que j'en ai connu, c'était des rendez-vous pour voir un film et un petit pelotage pendant qu'on était dans le noir.

« J'ai bossé aussi dans des restos et des cafés, mais j'aimais pas ça non plus. J'ai été engagée dans un de ces clubs où tu te déshabilles derrière une vitre et où tu fais les choses que te décrit le client dans son micro. Ils veulent toujours que t'écartes la chatte. On en arrive à ça, au bout du compte. Tu peux danser, tu peux te tortiller, mais tu sais qu'il y aura forcément un moment où tu seras obligée de te servir de tes doigts comme d'une pince à salade. D'une façon ou d'une autre, ils te demandent ça comme s'ils allaient découvrir entre tes jambes un monde meilleur que celui-ci. Et même s'ils le voyaient, je pige pas, vu qu'ils n'ont aucun moyen de s'y réfugier.

« Je gagnais pas mal de fric, mais tu n'imagines pas à quel point ça devient lassant d'essayer de donner l'impression que rien ne te rend plus heureuse que d'avoir un gars de l'autre côté de la vitre en train de s'astiquer le Popaul... Si tu savais les bites horribles que j'ai vues à cette époque ! J'ai laissé tomber. Il n'y avait pas d'avenir là-dedans. Je suis rentrée en East Texas et j'ai découvert qu'il n'y en avait pas non plus ici. J'ai recommencé à bosser dans les cafés, et j'aimais toujours pas ça. Je me faisais quelques dollars en rab après le boulot, sur les sièges arrière des voitures, mais ça ne menait nulle part.

« Je me suis mise un temps à la colle avec ce gars qui était faussaire et j'ai appris à imiter l'écriture des gens pour toucher

129

des chèques et des mandats volés. C'était pas mal, mais mon copain s'est fait prendre et j'ai failli tomber aussi, alors j'ai arrêté.

— T'es capable d'écrire comme quelqu'un d'autre, c'est ça que tu veux dire ?

— Oui. Comme *beaucoup* d'autres. Plus la signature est simple, plus elle me donne du fil à retordre. Le meilleur moyen c'est de la mettre à l'envers et d'essayer de la dessiner. Mais c'est une combine nullarde. Tu ne peux pas continuer ça trop longtemps. J'ai lâché.

« Ensuite, j'ai été engagée dans un restaurant mexicain à Tyler. Cette fête foraine est passée par là et Frost est venu manger, il a été gentil avec moi et il m'a laissé un bon pourboire. Il m'a parlé de sa fête, et tu vois, j'ai cru que c'était un genre de cirque. Je ne savais pas qu'il y avait une différence. C'était pas que j'avais envie de sentir la merde d'éléphant, mais ça me semblait un poil plus romantique que les Potirons, les femmes à barbe et les hommes-chiens...

« Six mois plus tard, Frost s'est repointé et j'ai bien vu qu'il en pinçait pour moi, mais il n'a rien tenté. Il n'a pas essayé de m'entraîner à l'arrière d'une voiture ou dans un motel. Il a été gentil avec moi, c'est tout. Et dans ma vie, j'ai pas souvent eu droit à ça. J'ai cru que la gentillesse, ça pouvait être plutôt bien. La troisième fois qu'il est venu, il m'a demandée en mariage. De but en blanc. C'était assez mignon. Pathétique, mais mignon. Et j'en étais arrivée à haïr l'odeur d'une *enchilada* [1]. Je pouvais plus me débarrasser de cette puanteur. Quand j'étais pas au boulot, il suffisait que le vent tourne pour que je me mette à schlinguer comme un menu numéro 3.

— Y'avait quoi, dans ce menu ?

— Deux tacos, une enchilada, une *tamale* [2], des haricots et du riz. On avait droit à des tortillas gratos et la boisson était en sus. C'était une sacrée bonne affaire, si t'aimais ce genre de bouffe. Trois dollars quatre-vingt-dix-huit plus les taxes et le pourboire.

— Je parie que t'en avais un paquet !

1. Galette de maïs frite, fourrée à la viande et servie avec une sauce piquante (N.d.T.).
2. Viande hachée épicée dans une pâte de farine de maïs cuite au four (N.d.T.).

– Quand le client était un homme, oui. Je sais comment m'y prendre. Tu te rapproches pour le servir et tu lui colles tes seins contre l'épaule. Et puis tu portes une jupe un peu trop courte, tu mets des talons hauts et tu marches de manière à ce qu'il s'en rende compte. Et je sais prendre une voix craquante, aussi. Si t'as envie d'entendre roucouler, je suis un putain d'oiseau chanteur !

– Tu as donc épousé Frost pour échapper à la cuisine mexicaine ?

– En grande partie. Et puis il semblait gentil, tu comprends ? Et j'avais vraiment l'intention de rester mariée. Je traversais ma période « un foyer et une famille. » Et j'ai pas changé d'avis là-dessus, peut-être. Mais j'aurais pas pu deviner qu'il avait une main plantée au milieu de la poitrine et que j'allais devoir vivre avec une bande d'arriérés et de bizarreries génétiques. Et puis il est si foutrement bon qu'il me file la chair de poule ! J'aime qu'un homme ait un peu plus de mal en lui.

– Les freaks ne sont pas si affreux que ça, quand tu apprends à les connaître.

J'veux pas les connaître ! J'veux un petit bout de conte de fées, moi aussi, Bill.

– J'pense pas que tu sois en train de parler de moi, là.

– Je pourrais.

– Parce qu'on a fait l'amour ?

– Parce que t'es un crapaud qui s'est métamorphosé en prince charmant. T'étais tout moche et boursouflé et puis tu t'es changé en James Dean, et ne recommence pas avec tes conneries au sujet des saucisses.

– J'ai pas la moindre idée de qui est ton James Dean.

– Attends une minute, dit-elle. (Elle se leva et passa dans la chambre, d'où elle ressortit bientôt avec un livre à la main. Elle alluma la lampe au-dessus de l'évier.) Viens ici.

Bill s'approcha et jeta un coup d'œil à la page à laquelle elle avait ouvert le livre. C'était la photo d'un gars étendu sur le capot d'un camion.

– C'est lui dans *Géant*, dit-elle.

Putain, c'est vrai que je lui ressemble ! pensa Bill.

131

Elle tourna les pages. Il y avait d'autres clichés. C'était Bill tout craché, en effet. Il avait juste les cheveux plus foncés et un visage un peu plus allongé. Peut-être le nez plus fort ?

– Eh bien ? murmura-t-elle.

– Y'a de ça, répondit-il.

– T'as l'air plus grand que lui. Ça me plaît que tu sois plus grand.

Elle referma son bouquin et Bill jeta un œil sur la couverture. *James Dean en Images*. Elle le posa à côté de l'évier, se retourna et l'embrassa. Sa lèvre lui faisait encore mal, là où elle l'avait mordu. Elle suça l'entaille. Leurs langues se trouvèrent, ils s'allongèrent de nouveau sur le plancher et ils refirent l'amour.

Gidget sur le dessus, cette fois.

21

Quand la tempête s'éloigna et que le soleil réapparut, un calme remarquable s'installa autour d'eux. Gidget récupéra son livre et ses vêtements, retourna dans sa chambre et verrouilla la porte derrière elle comme si Bill n'existait pas. Comme si rien ne s'était passé – et pourtant c'était arrivé. Il était épuisé par leurs ébats.

Il se rhabilla et il sortit pour essayer de déplacer la grosse branche, mais en vain. Il en conclut que s'il s'acharnait, il n'y gagnerait qu'une hernie aux couilles. Il prit le temps, cependant, de lire le panneau historique : ils se trouvaient sur l'ancien emplacement d'une usine de boulets de canon qui avait fait faillite.

Il fit reculer le camping-car jusqu'à l'allée en béton, qu'il descendit avec précaution, toujours en marche arrière, en veillant à rester suffisamment loin de la ligne électrique tombée à terre. C'était une manœuvre difficile, car il n'avait que les rétroviseurs pour diriger ce gros véhicule, mais il y parvint et il se retrouva finalement sur la nationale. Il reprit la route, à la recherche de ses compagnons. La remorque de l'Homme des Glaces et le tracteur de semi étaient immobilisés dans un large fossé, un peu plus loin. La cabine se trouvait au beau milieu du trou, dans une soixantaine de centimètres d'eau, tandis qu'une partie de la remorque était dans l'eau et que l'autre avait défoncé une clôture de barbelés avant de réduire un pin en bouillie.

Conrad, assis derrière son volant, fumait une cigarette. Une bonne vingtaine de mégots flottaient près du véhicule. Sur le

133

siège, à côté de lui, étaient posées les espèces de béquilles qu'il fixait à ses jambes pour conduire.

Bill se gara, descendit dans le fossé et s'appuya contre la portière, côté chauffeur. Conrad lui adressa un sourire canin et fit tomber sa cendre d'une chiquenaude. Bill remarqua que le devant de ses vêtements était trempé et qu'il avait l'air mal à l'aise.

– J'suis content de te voir, dit Conrad. Me suis dit que si je mettais le nez dehors, un de ces ploucs qui prennent leur pied à écraser les chiens risquait de sortir de la route pour essayer de m'avoir. Je voulais m'allonger. Au bout d'une heure, c'est plus confortable pour moi que de rester assis comme ça, tu comprends ? Et puis j'ai pensé que je pouvais rater quelqu'un de notre groupe s'il passait sous la pluie. Je voulais être prêt à klaxonner et à faire des appels de phare. Et quand le soleil est revenu, je suis resté là. J'ai décidé d'attendre ici et de fumer. Je ne t'ai même pas vu arriver.

– T'es simplement embourbé ?

– Je crois. Le vent m'a carrément viré de la chaussée.

– J'pense pas que je pourrais te sortir de là, même avec une chaîne.

– Moi non plus. C'est le boulot d'une dépanneuse. Et une grosse.

– Et l'Homme des Glaces ?

– Il n'a rien. C'est la première chose que j'ai vérifiée. Ni lui, ni le congélo n'ont bougé d'un pouce. C'est pour ça que je suis tout mouillé, parce que j'ai dû aller jusque là-bas. Je suis court sur pattes, tu sais. (Il ouvrit la portière.) Ça ne me plaît pas de te demander ça, mais tu crois que tu pourrais me porter ? Sinon, je vais être obligé de retraverser ce foutu fossé. Toi, au moins, l'eau ne viendra pas te lécher le ventre.

– D'accord.

Bill laissa Conrad grimper sur son dos. L'homme-chien était plus lourd qu'il ne s'y attendait. Rien que deux semaines plus tôt, l'idée de toucher Conrad lui aurait donné la nausée, mais maintenant il s'en moquait. Ils gravirent la tranchée, et Bill reposa Conrad devant le camping-car.

– On dirait que t'as cogné un peu à l'avant.

– Ouais, un panneau historique sur une aire de repos. Et il s'en est fallu de peu qu'on se paye un câble à haute tension.

– Et comment va la princesse ?

– Bien.

– Ouais, si y'en a un seul qui va bien, tu peux parier qu'ce sera elle !

Ils montèrent dans le camping-car et Conrad s'installa sur le siège du passager. Bill remarqua qu'il reniflait. Il se demanda s'il pouvait sentir ce qu'ils avaient fabriqué ici. Lui-même s'était habitué à leurs odeurs mêlées et il ne savait pas quel effet ça pouvait produire sur quelqu'un qui entrait ici pour la première fois.

Il démarra et reprit la nationale. Tandis qu'il conduisait, il chercha vainement quelque chose à dire à Conrad pour meubler la conversation. Si l'homme-chien pensait qu'il s'était tapé « la princesse » comme il la surnommait, et qu'en plus il le trouvait trop silencieux, il était certain que cela allait renforcer ses soupçons, et pourtant son esprit restait désespérément vide.

Et si tout à coup elle sortait de la chambre nue comme un ver ? pensa-t-il.

Non, elle n'allait pas faire une chose pareille. Elle les avait certainement zieutés par une fenêtre et elle ne se montrerait pas.

Mais si elle n'avait rien vu et qu'elle se pointait dans le plus simple appareil ? Comment allait-il lui expliquer ça ? Il décida qu'il devait parler fort, pour qu'elle les entende, et pourtant, il ne trouvait toujours pas la moindre chose à lui dire...

Il regarda Conrad. Celui-ci attrapa le paquet de clopes de Gidget, sur le tableau de bord, et en tira une d'un coup sec. Il se servit du briquet de la jeune femme pour l'allumer. Il aspira la fumée et en laissa une partie s'échapper par son nez, puis il ouvrit la bouche et roula sa langue d'une drôle de manière, et la fumée forma une espèce d'entonnoir et monta en volutes au-dessus de sa tête.

– J'entends rien, là-derrière. T'es sûr qu'elle va bien ? dit-il alors.

– Sûr. Je lui ai parlé tout à l'heure. À ce moment-là, elle était O.K. Elle fait peut-être une sieste.

135

– Une sieste ?

– Pardi.

– T'as pas l'air dans ton assiette, mon pote.

– Je suis crevé. Cette tempête et toute cette merde. Ça secoue les nerfs.

– Ouais. Pareil pour moi. J'ai glissé si vite dans ce trou que je ne me suis rendu compte de rien avant d'être dedans. Ça arrive, ce genre de trucs... T'es là, en train de tracer ta route, tu t'occupes de tes oignons, tu ne t'attends à rien, et tout à coup tu dérapes et tu finis dans soixante centimètres d'eau...

– Exact.

– Et si t'en sors, tu dois avoir assez de bon sens pour ne pas y retourner.

– C'était pas de ta faute, au départ, dit Bill.

– J'ai peut-être pas été assez vigilant. J'avais pourtant reçu des avertissements – les gros nuages noirs, la pluie...

– Elle nous est tombée dessus si vite, cette tempête...

– Ouais, grommela Conrad. Mais j'aurais dû me douter de quelque chose. Je la sentais. On *sent* un truc pareil. L'atmosphère change. Électrique. Elle a une odeur particulière. Et elle en laisse une autre, différente, après...

– Ouais. Moi, j'ai rien deviné de tout ça, dit Bill. Je conduisais, et l'instant d'après j'ai embrassé un panneau.

– Le mieux, dans ces cas-là, c'est de reculer pour se dégager, de reprendre la route et de continuer à rouler en essayant de rester loin des panneaux en général.

Bill se tourna vers Conrad.

– Oui, je suppose que t'as raison. C'est exactement ce que je fais, là, en cet instant : je roule.

Conrad hocha la tête et tira une nouvelle taffe sur la cigarette de Gidget.

– Bonne idée, mec, dit-il. U.S. Grant et moi, on essaie aussi. Continuer à rouler, tu vois ? Évitez les fossés. Loin des panneaux.

– Et comment ça marche ?

– C'est pas facile. Je pense toujours à ce qui s'est passé avec Phil et tout ça, mais bon, on y arrive. Il faut qu'on y arrive. Il faut avoir une vision d'ensemble. Si tu ne vois pas plus loin que le bout de ton nez, eh bien, tu te retrouveras de nouveau dans ce fossé, et peut-être que cette fois il sera plus profond et que tu ne réussiras pas à en ressortir, même avec de l'aide. Tu piges ?

– Sûr.

Quelques kilomètres plus loin, ils tombèrent sur U.S. Grant. Garé de l'autre côté de la route, son tracteur de semi était tourné dans la direction d'où ils arrivaient, tandis que la remorque, détachée et arrêtée le long de la chaussée, était dans l'autre sens.

U.S. Grant avait sorti une chaise de jardin près de son véhicule et s'y était installée. Les Pointes d'Épingle et les Potirons, qui voyageaient avec elle, jouaient dans le trou du bas-côté. Ils se poursuivaient et s'aspergeaient. Les automobilistes qui passaient ralentissaient, surpris par ce spectacle.

Bill fit demi-tour et revint se garer à côté d'elle. Il descendit avec Conrad. Dès qu'elle vit l'homme-chien, la femme à barbe se mit à pleurer et elle se leva d'un bond de sa chaise et elle l'attrapa comme si elle allait soulever un animal domestique. Au lieu de ça, elle se pencha vers lui et un gros genou poilu sortit de dessous sa robe, qu'elle posa dans la boue pour serrer Conrad contre elle.

– J'ai fait un tête-à-queue et l'attache de la remorque s'est cassée net, expliqua-t-elle. J'arrêtais pas de me dire que j'allais crever et que les choses entre nous n'étaient pas comme elles auraient dû être.

Conrad la caressa avec sa drôle de petite main.

– T'inquiète pas, murmura-t-il.

– Je ne voulais pas mourir avant qu'on se soit réconciliés.

– On l'est. Tout va bien.

– Je me suis mal conduite.

– Je t'ai déjà pardonné. Ça ne se reproduira plus.

– Je n'ai rien à te reprocher.

À présent, les Épingles et les Potirons se bombardaient de mottes de terre.

– Bill, dit Conrad. Je reste ici avec U.S. Grant. Toi, tu continues jusqu'à la prochaine ville et tu appelles une dépanneuse.

Il ouvrit le bouton-pression de sa poche arrière et sortit son rasoir, puis son portefeuille, d'où il tira une carte de visite.

– Voilà le téléphone des gars qui s'occupent de nous. Nous sommes leurs meilleurs clients et ils nous font des réducs. Tu leur expliques où on est, et ils viendront. Dis-leur aussi où est ma remorque – et les autres que tu risques de rencontrer en chemin.

Bill prit la carte. Conrad rangea son portefeuille et son rasoir, se rassit sur ses talons et lui serra la main.

– Fais gaffe aux fossés, maintenant. Il pourrait encore y avoir des endroits glissants.

QUATRIÈME PARTIE

UNE ORGIE DE POSSIBLES

22

Les garagistes firent leur boulot avant le retour de Frost. Ils récupérèrent des Pointes d'Épingle, des Potirons, une femme à barbe, un homme-chien et des remorques, et ils conduisirent le tout à l'emplacement de la fête foraine prévu pour la soirée. L'endroit était proche d'une colline dominant une maigre forêt de saules dont les petites racines étaient ancrées superficiellement dans la vase rougeâtre. La pluie avait gonflé la rivière et l'avait repeinte couleur étron. Un vent léger soufflait et l'air moite avait une odeur de poisson.

À son retour, Frost était de mauvaise humeur. Il pénétra dans leur campement à toute vitesse, arrêta sa Chevy d'un coup de frein brutal qui projeta de la boue partout et l'embourba à peu près jusqu'à la moitié de ses enjoliveurs. Ce qui le mit encore plus en colère. Il descendit, envoya un coup de pied rageur dans un de ses pneus et parcourut le camp d'un pas lourd en criant des ordres. Quand il apprit tout ce qui s'était passé, entre autres l'accident de son camping-car, il mit une main sur sa hanche et fixa le sol pendant un bon moment. Bill n'était pas très loin. Frost le regarda enfin et fronça les sourcils.

— Tu n'as donc pas pu éviter ça ?
— C'était la tempête. C'est pas moi qui l'ai déclenchée.
— Ne joue pas au plus malin avec moi.
— Qu'est-ce que j'aurais dû faire ?
— Conduire prudemment, par exemple.

141

– C'était pas une question de conduite, mais un problème de météo. J'ai été viré de la route.

– Moi aussi, patron. (Conrad s'approcha en se dandinant à quatre pattes. Il portait un jean à revers et un tricot rouge, ainsi que ses protections manuelles et ses chaussures bizarres.) La remorque de l'Homme des Glaces a été soufflée de la même façon, et moi avec.

– Oh, mon Dieu!

– C'est okay, patron. On n'a rien eu. U.S. Grant et certains d'entre nous ont connu aussi quelques émotions. Mais tout le monde va bien. On aura une sacrée facture de dépannage, mais c'est tout.

– Tu en es sûr?

– Ouais. Personne n'est blessé.

– Parfait. Et l'Homme des Glaces?

– Pas un de ses cheveux n'a bougé. J'pense même pas que sa queue a changé de côté.

– Il est pétrifié, grommela Frost. Rien ne va changer de côté.

– Sans déconner? fit Bill.

Frost ne répondit pas. Il passa devant Conrad et se dirigea à grands pas vers la remorque de l'Homme des Glaces.

– Je ne l'ai jamais vu comme ça, souffla Bill.

– Il se met dans un état pareil quand la survie de sa fête foraine est en jeu, dit Conrad, et tout spécialement son chouchou préhistorique. En temps normal, il est sympa, mais parfois il se fout un peu en rogne. Cette histoire avec Phil ne lui a pas fait de bien non plus. J'ai toujours détesté Phil. Y'avait plus de merde en lui que dans un tas de fumier.

– *Pétrifié?* Il a dit que l'Homme des Glaces était pétrifié.

– C'est bien ce qu'il a dit, oui.

– Il a pas l'air.

– C'est la première fois que j'entends parler de ça, avoua Conrad, et pourtant je connais Frost depuis longtemps, maintenant, et il a toujours eu cette attraction. C'est vrai que j'suis pas du genre à poser des questions sur son Néandertal. J'me fais pas chier avec ça. Je m'en tape de savoir s'il est pétrifié

142

ou putréfié... Balader un cadavre de ville en ville, ça me paraît loufoque. On devrait l'enterrer. Ça me fiche la trouille.

– Essaie de dormir avec lui et tu verrais.

– Est-ce que c'est un bon pipeur ?

Bill se tourna pour observer Conrad, un sourire se forma sur ses lèvres et ils éclatèrent de rire.

Plus tard, ce même jour, Frost rassembla tout son monde et fit un petit discours. Au-dessus d'eux, un nuage solitaire prenait une couleur foncée, et vers l'ouest le soleil plongeait dans la Sabine. Il se débattait comme s'il allait se noyer et jetait ses couleurs comme autant d'appels au secours.

– Tout d'abord, je voulais vous prier de m'excuser pour la façon dont je suis arrivé ici, aujourd'hui.

La plupart n'avaient rien remarqué, mais tout le monde acquiesça d'un signe de tête, parce que Frost semblait accorder de l'importance à la chose, même si, pour eux, elle n'en avait aucune.

– J'étais énervé. J'ai dû prévenir la police. Ils ont retrouvé Phil. Il était ivre, dans un relais pour routiers, en train de cuver dans la cabine de son camion avec une femme qu'il avait payée et qui s'est révélée être un homme avec une perruque, une jupe et une petite culotte.

– De quelle couleur, la perruque ? demanda quelqu'un.

Quelques ricanements dans l'assistance.

– Plutôt que de déposer plainte, je suis parvenu à un accord avec Phil. Il m'a donné les papiers de son véhicule, et le véhicule lui-même, bien sûr. Plus le tourniquet. J'ai engagé une équipe pour le charger ce soir. Le tout sera là demain matin, avec mes bébés en bocaux. Phil s'en occupe. On va s'installer, rester ici jusqu'au week-end et donc on ouvrira la foire deux soirs d'affilée.

« Un de mes bébés a été détruit. Phil a pris un virage trop vite et il ne les avait pas protégés du tout. Le bocal de Celeste est tombé et elle a perdu sa tête.

Bill se souvenait que Celeste avait un vagin, une quéquette et une tête hypertrophiée.

143

– J'ai fini par l'enterrer au bord de la nationale, poursuivit Frost. Depuis le jour de sa naissance – et de son décès simultané – elle se trouvait dans ce bocal. Et peu après, elle a été sur la route. Toutes ces années sur la route. J'ai estimé que c'était un emplacement approprié pour sa sépulture.

Bill s'imagina qu'un chien l'avait sans doute déterrée une demi-heure plus tard et qu'il était en train, en ce moment même, d'en faire son repas quelque part dans les fourrés.

– Toujours est-il que le tourniquet est à nous, désormais. Il sera là demain. Phil nous l'apporte.

Cette fois, on n'entendit pas exactement des murmures d'enthousiasme. Mettre en place cette attraction était une vraie corvée. Même Conrad, que rien ou presque ne semblait rebuter, avait dit un jour qu'il aurait préféré boire un seau de diarrhée de rats plutôt que d'aider à monter cette saloperie qui larguait ses boulons.

En général, au moment de l'assemblage, Phil se bourrait la gueule, puis il réclamait des volontaires pour lui donner un coup de main. Brusquement, l'ensemble des forains commençait à souffrir de divers petits maux, de la coupure avec une feuille de papier jusqu'aux rhumatismes. Et pourtant, d'une manière ou d'une autre, chaque fois qu'ils dressaient leur campement, ce foutu machin finissait par être installé pour permettre à des innocents de payer pour y risquer leur vie.

Bill aurait préféré que Phil se contentât de se tirer avec son matériel sans rien voler. Tout le monde s'en serait beaucoup mieux porté. Maintenant, avec cette saleté de tourniquet qui revenait, il pensa qu'il aurait aimé chasser ce connard avec une meute de chiens, un fusil et quelques paysans en rogne brandissant des torches.

– Qui dit qu'il va se montrer ? demanda Conrad.

– Je l'ai obligé à noter par écrit ce qu'il avait fait, et je lui ai promis que s'il n'était pas là demain matin, je refilerais sa confession aux flics. Maintenant, j'ai appris que certains d'entre vous avaient eu des problèmes, hier. Je suis ravi que personne n'ait été blessé. Je me suis montré désagréable, tout à l'heure, et j'espère que Bill et Conrad me pardonneront ma

144

mauvaise humeur et mon manque apparent d'intérêt pour les vivants. Je vous assure, je me soucie de vous tous. Énormément.

– On va manger, maintenant ? demanda Double Buckwheat.

Frost sourit.

– Je pense.

La nuit tomba, d'abord grisâtre, puis parsemée de brins de soleil déchiquetés, tels des confettis orange. Bill, qui surveillait depuis un moment le nuage sombre installé au-dessus d'eux, leva les yeux. À présent, on ne le distinguait plus, il faisait juste partie de la nuit sans étoiles qui recouvrait la terre comme un sac géant.

Chacun partit dîner dans son coin. Bill regretta le petit déjeuner qu'ils prenaient tous ensemble autour des tables de pique-nique. L'idée de retourner à la remorque de l'Homme des Glaces accentuait encore son impression de solitude. Il se sentait abandonné et désorienté. Il n'avait pas connu une journée aussi dérangeante depuis la mort de sa mère... Disons, depuis l'attaque de la cabane de pétards... Disons, depuis la traque du shérif adjoint Fumiers et la découverte des freaks et de leur fête foraine.

Maintenant qu'il y réfléchissait, tous ses derniers jours ou presque avaient été... troublants. Mais aujourd'hui, c'était différent. Il ne savait pas si ç'avait été une bonne ou une mauvaise journée. Il comprenait qu'il était devenu ami avec Conrad, et il aimait ça. Il n'avait jamais eu de véritable ami, juste des gens avec lesquels commettre de petits délits.

Et puis il y avait Gidget. Seigneur, c'était quelque chose, cette fille ! Et cette histoire avec James Dean. Il fallait qu'il s'offre un de ses films, un jour. Il se promit d'en apprendre davantage sur lui, maintenant qu'il avait pigé qu'il n'avait rien à voir avec le Fondu des Saucisses.

Et il se sentait coupable, aussi. Il avait trahi Frost, la première personne dans sa vie qui l'avait sincèrement aidé par pure bonté. Au début, il considérait Frost comme une poire, mais il n'en était plus aussi sûr. Des choses bougeaient, à l'intérieur de lui, des choses qu'il n'aurait jamais pensé posséder.

23

Il pleuvait à verse, et au vacarme que faisait la rivière, on aurait juré qu'elle coulait carrément à travers la remorque de l'Homme des Glaces.

Bill mangeait une *corn dog*[1] qu'il trempait dans de la moutarde. Il l'avait réchauffée avec son petit micro-ondes. Tout en mastiquant, il réfléchissait à l'Homme des Glaces. Était-il pétrifié parce que congelé, ou était-il pétrifié puis congelé, et quel était l'intérêt de le congeler s'il était pétrifié... ?

Il était en train de retourner ce mystère dans sa tête quand il entendit un grattement, comme un chat qui demande à entrer. Il crut tout d'abord que cela venait de l'intérieur du congélateur – un bruit produit par les ongles d'une main morte. Il sursauta et lâcha sa saucisse. Elle roula un instant sur la vitre, laissant derrière elle une traînée de moutarde qui ressemblait à l'impact d'un énorme insecte sur un pare-brise.

Il jeta un coup d'œil à l'Homme des Glaces et constata que ce bon vieux Néandertal n'avait pas bougé d'un pet. C'était à la porte qu'on grattait. Les poils de sa nuque et du haut de son dos se hérissèrent : il se rappelait soudain les chats de sa mère qu'il avait fourrés dans un sac et noyés. Il eut la vision fugitive de la rivière déchaînée libérant ces petits salopards pour les lancer à sa poursuite...

Il colla son oreille contre le battant. Il entendit la voix de Gidget qui disait :

1. Saucisse enrobée dans du maïs frit (N.d.T.).

– Bill ?

Il lui ouvrit. Avec son ciré jaune à capuche, elle ressemblait à un moine en plastique. Il s'effaça pour la laisser entrer et elle ôta immédiatement son imper qu'elle abandonna sur le plancher. De petits filets d'eau s'en échappèrent.

– J'ai cru que tu n'allais jamais me répondre ! protesta-t-elle.

– Au début, j't'ai pas entendue. J'ai pas compris ce qui se passait.

– Je suis trempée jusqu'aux os. Cette foutue flotte s'est glissée à l'intérieur de mon ciré. Il souffle un vent à te foutre le cul par-dessus tête !

Gidget portait un short coupé dans un jean et un T-shirt blanc pour homme. Il était tout mouillé et on voyait ses seins, au travers.

– Je ne sais pas si tu devrais être ici.

– Bon sang, Frost est dans les vapes. Je lui ai refilé une boisson droguée. Il ne se réveillera pas avant demain matin. Je lui ai proposé de prendre l'apéro, mais mon verre à moi était normal.

– Quelqu'un a pu t'apercevoir.

– Dans ce déluge, ça m'étonnerait. Même moi j'y voyais que dalle, là, dehors. S'en est fallu de peu que je plonge dans la rivière. Ça ne craint vraiment rien.

– Et pourquoi es-tu là ?

Gidget considéra Bill comme si on lui avait vidé le crâne à la petite cuillère.

– Ce qui s'est passé aujourd'hui n'a donc aucun sens pour toi ? souffla-t-elle.

– Je ne suis surtout pas certain que ça en ait un *pour toi*, répliqua Bill. Vu la façon dont tu t'es tirée dans ta chambre après ce que nous avons fait...

– J'avais besoin de réfléchir, Bill. J'étais dépassée par les événements, en quelque sorte. Je pensais à nous. Je pensais à plein de trucs. Pour l'amour du ciel, donne-moi une serviette ! T'as pas quelque chose à boire ? Un alcool quelconque ?

Bill fit non de la tête et il alla lui chercher une serviette. Pendant ce temps, elle se débarrassa de son short, de son T-shirt et de ses chaussures. Il la lui tendit et elle commença à s'essuyer.

Elle ne portait plus qu'un slip noir, avec une dentelle à fanfreluche. Quand elle écarta les jambes pour sécher l'intérieur de ses cuisses, il découvrit que sa petite culotte, fendue au milieu, révélait son sexe.

– C'est d'origine ? demanda-t-il.

Gidget, qui ne semblait pas consciente de sa quasi-nudité, leva les yeux.

– Oh, oui, on les achète comme ça. Tu aimes ?

– Ouaip !

– Alors, viens ici, mon chou.

Il obéit. Sa peau était fraîche et humide, mais un instant plus tard, elle fut chaude et moite sous ses doigts. Il la caressa partout où il put. Ses lèvres étaient douces et sa langue, une sonde brûlante.

Finalement, il s'écarta et se déshabilla. Elle ne fit rien pour l'aider. Elle lui tourna le dos et se pencha sur le congélateur, ses seins nus se collèrent contre la vitre souillée par la moutarde, et ses fesses parées de dentelle se dressèrent vers lui.

Bill ne se rappela pas avoir traversé la pièce pour la prendre par-derrière. Il eut plutôt l'impression d'être descendu en elle de très haut. Il commença à aller et venir. Elle se mit à gémir et ses seins glissèrent sur la vitre avec le bruit d'une raclette nettoyant un pare-brise. La saucisse rebondit, tomba sur le plancher et roula sous le lit.

– Fais-moi mal ! souffla-t-elle.

Il la fessa et lui laissa les grandes empreintes brûlantes de ses paumes et de ses doigts. Cela lui rappela certaines photos de poneys indiens. Sur les flancs, les proprios collaient leurs mains enduites de peinture rouge en signe d'appartenance.

Il la frappa plus fort et la pénétra plus fort et elle laissa échapper de petits râles de plaisir mêlés de douleur. Elle se dressa sur la pointe des pieds et son derrière se raffermit et Bill s'y enfonça encore plus profondément, en priant pour ne pas jouir trop vite. Pour se retenir, il s'efforça de penser à autre chose. Il regarda l'Homme des Glaces à travers les traces de moutarde – il était bien visible, maintenant, car leur activité avait réchauffé la vitre.

La sueur coula dans ses yeux tandis qu'il continuait de la besogner. Il la prit par les cheveux et elle cria. Il lui tira la tête en arrière, embrassa son cou et sentit son sang battre contre ses lèvres. Il tartina de moutarde tout le devant de son corps.

— Je ne tiens plus ! grogna-t-il. Nom de Dieu... Je vais craquer !

— Maintenant ?

— Oh, Seigneur !

— C'est bon, mon chou, crache ta purée.

Il déchira sa culotte et la jeta sur le plancher, puis il lui donna un grand coup de rein – et à la seconde même où il allait éjaculer, Gidget se dégagea, se laissa tomber contre le flanc du congélo, se retourna et l'aspira dans sa bouche. Il explosa.

Ensuite, il la souleva et il l'allongea sur la vitre, il se plaça entre ses jambes et la travailla de la langue tout en lui malaxant les seins. Un instant plus tard, elle jouissait à son tour avec de petits cris.

Ils passèrent sous la douche, ils se lavèrent et ils refirent l'amour, debout, puis ils se séchèrent et ils allèrent se coucher.

— Il ne va pas se réveiller et s'apercevoir que t'es pas là ? s'inquiéta Bill.

— Il n'ouvrira pas l'œil avant demain matin. J'ai déjà utilisé ce truc. Ce que je déteste, c'est qu'il se réveille tout court.

— Tu ne devrais pas parler comme ça.

— Je ne devrais pas ?

— Non.

— Je crois que je n'avais pas compris à quel point j'avais envie de me tirer d'ici, avant que tu apparaisses.

— Je te dégoûtais, tu te rappelles ?

— Ton visage ne me plaisait pas. Quand tu t'es arrangé, mes sentiments ont changé. Tu ressembles à James Dean.

— On n'est pas censés s'aimer pour ce qu'on est ?

— Conneries. Je veux être avec quelqu'un qui a une belle gueule et qui me désire autant que moi, je le désire. Laisse-moi te dire un truc : Frost n'est pas aussi beau garçon que ça, à poil. Et il a ce genre d'odeur... Je n'arrive pas à la décrire. C'est pas une odeur dégueu. Il est toujours très propre sur lui. C'est comme... Je ne sais pas. Tu as reniflé la nôtre ?

— Ouais.

– Sexy et forte et j'aime ça. Lui, il sent plutôt comme une religieuse au chocolat, sucrée et moelleuse. Ça me déprime. Et cette main... Je l'oblige à porter un gant, quand on baise.

Bill pensa à la nuit où Frost avait séparé Conrad et Phil qui se battaient. Il arborait ce gant, à ce moment-là. Il se souvint alors de Gidget, à la porte du camping-car, en petite tenue et l'air en rogne.

– Et pourquoi donc ? dit Bill.

– J'aime pas la regarder.

– T'es obligée de la voir même quand elle est dans un gant.

– Ouais, mais au moins j'suis pas forcée de la sentir. Quand il se couche, je la sens. S'il se soulève, elle pendouille et elle me frôle... Tu ne peux pas imaginer. Cette main... Parfois, j'ai l'impression qu'elle n'est pas simplement là à ballotter contre moi, mais qu'elle est vivante. J'arrête pas de penser qu'elle veut se refermer sur ma gorge.

– C'est pas le genre de Frost...

– Bien sûr, mais je crois que c'est le genre de sa main. Et ne me sers pas ce petit sourire, tu veux ? Tu n'as jamais été obligé de la toucher, toi. C'est comme si un truc mouillé et boueux te rampait dessus... J'imagine que t'as le même genre de sensations avec un serpent. Je ne pourrai plus supporter tout ça encore très longtemps. Il parle de me faire un enfant, et je me dis « Ouais, super, on a un môme et je lui apprendrai à se laver ses trois mains... » Il en aura peut-être quatre, remarque. Il pourra travailler ici, à la fête foraine, saluer la foule tout en se tricotant un pull-over. Je ne veux pas d'un bébé monstre. C'est déjà assez dur comme ça d'avoir un freak qui va et vient en moi.

– Mais tu l'as épousé. C'était ton choix.

– J'étais prête à tailler une pipe à un joueur d'orgue de Barbarie tout en baisant son singe pour me tirer de ce foutu resto mexicain ! Et je ne pouvais pas deviner dans quoi je me fourrais. Je pensais que je le supporterais. Sauf que j'y arrive pas. Je te veux toi, et plus lui. On forme un couple superbe, Bill.

Cette idée lui glaça le sang et lui donna une chair de poule de la taille d'un cimetière de pierres tombales. Personne n'avait jamais voulu de lui – et encore moins quelqu'un avec le physique, la peau et l'odeur de Gidget.

150

— Il faut que je me débarrasse de lui, tu sais, ajouta-t-elle dans un souffle.

— On peut partir.

— J'y ai pensé.

— On se tire et ensuite tu divorces.

— Ouais, je pourrais.

— Ça me paraît la seule solution.

— Je me suis déjà cassée, avant, et à chaque fois je me suis retrouvée au même point à l'arrivée. Alors je me suis dit que j'aurais aussi bien fait de rester là où j'étais. Tout ce que je vis, c'est comme une saloperie de déjà-vu. Mais cette fois, je me débrouillerai autrement.

— On s'en va, tu divorces et je trouve un boulot.

— Dans quoi? La chirurgie du cerveau? T'as une belle gueule, mon chou, et j'aime quand tu me baises et j'aime comment tu me fais me sentir, mais tu n'es pas vraiment une super affaire sur le plan professionnel.

— Ça ne devrait pas avoir d'importance, tant qu'on est ensemble.

— Ça en a pour moi. Je ne veux pas vivre dans une foutue caravane au fin fond d'un trou paumé, avec trois morveux accrochés à mes basques. Peut-être que je ne vaux rien, et toi non plus, mais je désire tout de même quelque chose de mieux que ce que j'ai.

— On fait quoi, alors?

— À quel point tu m'aimes?

Jusque-là, il n'avait pas encore été question d'amour. Bill fut pris au dépourvu.

— Je... Je ne sais pas.

Gidget lui tourna immédiatement le dos. Enfouissant son visage dans l'oreiller, elle se mit à pleurer.

— Seigneur... Putain de Dieu!

— Quoi? fit-il.

— Je suis là à t'ouvrir mon cœur, et je découvre que je ne suis qu'un cul, pour toi. T'en as rien à foutre de moi! T'en as rien à foutre que je sois obligée de rester avec ce monstre! Je ne signifie rien pour toi!

– J'ai pas dit ça.

Elle se leva, toujours en larmes. Elle ramassa sa culotte et essaya de l'enfiler, mais elle était en lambeaux. Elle la jeta par terre et fouilla autour d'elle pour retrouver ses autres vêtements.

Bill, toujours allongé, la regarda faire, tout en cherchant quelque chose d'intelligent à dire.

– Je croyais que tu m'aimais, reprit-elle, en passant une jambe de son short.

– Je n'ai jamais dit que je ne t'aimais pas.

– C'est pas un truc auquel on a besoin de réfléchir, merde !

– Écoute, Gidget. Je t'aime. C'est juste que... Je n'ai jamais été amoureux avant aujourd'hui. Je ne sais pas comment faire ce genre de déclaration.

Elle lui sourit en reniflant :

– Contente-toi de le dire. C'est tout.

– Je t'aime.

Elle ôta son short de l'unique jambe qu'elle était parvenue à y glisser, se recoucha et se colla contre lui. Elle fit courir ses doigts sur sa joue et l'embrassa. Pendant un moment, ils s'enlacèrent sans rien dire. Ce fut Bill qui rompit le silence.

– Qu'est-ce qu'on fait, alors ?

– Tu veux qu'on reste ensemble, d'accord ?

– Je te l'ai dit.

– Alors, on fait ce qu'il faut.

Bill laissa cette phrase faire son chemin dans ses pensées. Puis :

– Dieu du Ciel, Gidget ! Ce n'est pas possible.

– Bien sûr que oui.

– On ne devrait pas. Bon, j'ai déjà fait certaines choses, mais jamais rien de ce genre. Enfin, pas exactement...

– Qu'est-ce que tu entends par « pas exactement » ?

Alors, il lui parla de la mort de sa mère, de l'attaque de la cabane de pétards, et du meurtre du vendeur par son complice. Il lui raconta tout. Ça sortit d'un coup, comme du lait qui déborde, jusqu'au moindre détail.

– Ce gars aurait dû tenir sa langue et se contenter de vous refiler sa caisse. Et ton Chaplin a agi comme il devait, ni plus ni moins. En fin de compte, ça n'a pas marché, mais il a eu raison. Ton flic s'est flingué tout seul, tu n'y es pour rien. Tu n'as tué personne et tu pleurniches !

– Je ne pleurniche pas. Je t'explique, c'est tout.

– Pour moi, tu te lamentes, là.

Bill ne bougea pas.

– J'ai organisé ce coup, mais je n'ai pas voulu que ça se passe comme ça. Bon, descendre quelqu'un, c'est une chose, mais préméditer un meurtre et m'en charger moi-même, c'en est une autre. Et la vérité, c'est que j'aime bien Frost. J'ai une dette envers lui.

– Peut-être. Mais tu l'as remboursée. C'est quand même pas un truc qui dure toute la vie !

– Y'a une ligne que j'ai déjà franchie et j'ai pas aimé ça. Et si je prépare volontairement un truc comme ça, y'a même carrément plus de ligne. On ne devrait pas se lancer dans une histoire pareille.

– Peut-être qu'on ne devrait pas, mais on pourrait, et moi, je le ferai. Et il n'y a pas de ligne, Bill. Il n'y en a jamais eu. La seule, c'est celle que tu traces toi-même. Écoute, chéri. Pour me libérer, je divorce et il ne me reste rien. Mais s'il meurt, un petit accident, alors je récupère quelque chose. Et puis je t'ai, toi. Et tu as gardé les chèques de ta mère. Je suis une faussaire, rappelle-toi. Ce serait une mise de fond pour nous permettre de redémarrer, tu vois.

– Ce « quelque chose » que tu récupères s'il meurt, c'est quoi ?

– L'Homme des Glaces. La fête foraine, pour ce que ça vaut. Tu sais combien rapporte cette carcasse ? Pas vraiment des sommes dignes de Fort Knox, mais ça nous permettrait quand même de vivre à l'aise. On se débarrasse de tous ces freaks, on les balance. On ne garde que l'Homme des Glaces. On le promène dans la région.

– Ça ne serait pas mieux de conserver l'ensemble ?

– Bien sûr. Et puis, merde, Bill. Je m'en fous. Je dis juste que si on élimine Frost, on peut récupérer l'Homme des Glaces, et la fête foraine si on veut, et on a les chèques de ta vieille. C'est un bon départ. Et quand on décidera de vendre le Glaçon, on en tirera un bon prix et on investira cet argent dans autre chose.

– Un truc réglo ?

– Ouais. J'ai pas envie de trimballer toute ma vie ce cadavre à travers le Texas. Je veux juste me libérer de Frost et avoir une mise de fond, un petit revenu jusqu'à ce qu'on sache où on pisse. On pourrait peut-être ouvrir un café ou quelque chose, engager des serveuses pour faire le boulot que je faisais. Et je m'en fous si tu leur pinces les fesses de temps en temps.

Bill sourit.

– On pourrait vraiment faire ça, n'est-ce pas ?

– Ou n'importe quel truc de ce genre...

– Je ne sais pas. Frost m'a bien traité.

– Parfait. Sers-toi de ça. Construis là-dessus. Regarde les choses sous cet angle, Bill. Si une opportunité se présente, il faut la saisir. Tu m'as pas l'air d'un gars qui tire souvent le gros lot.

– Y'a peut-être un mandat d'arrêt contre moi. Tu y penses ? Toi et moi couchant ensemble et puis se lançant dans une affaire pareille, alors qu'ils me cherchent ? S'il meurt, les flics vont se pointer et poser des questions à tout le monde.

– On se tiendra à carreau jusqu'à ce que ça se calme. Bon sang, les poulets n'attrapent même plus un criminel sur dix, aujourd'hui, et je suis prête à parier qu'en ce moment ils ne doivent pas être très nombreux à s'emmerder pour une baraque de pétards et le meurtre de son proprio. Après tout, y'a peut-être même pas de mandat. Et c'est pas sûr qu'ils sachent que t'étais dans le coup. On commence par s'occuper de Frost ; on réglera les autres problèmes quand ils se présenteront.

– Mon Dieu, je ne sais pas.

– Je vais te dire... murmura Gidget. (Cette fois, elle se glissa plus facilement dans son short.) Pense à toutes les crampes qu'il tire et que toi tu ne tires pas, et pense à sa main morte qui me tripote... (Elle remonta sa fermeture Éclair et enfila son T-shirt.) Ouais, pense à ça, mon chou. Puis tu me feras connaître tes sentiments. Tu me diras encore que t'as rien contre lui. Le fait qu'il me baise comme si j'étais une déesse de la fertilité devrait être une raison suffisante pour que t'aies envie de le voir mort. Ce qu'il a, tu l'as pas. Souviens-toi de ça.

154

Elle mit la capuche de son ciré sur sa tête, s'arrêta à la porte et se retourna.

– Tu devrais essuyer toute cette moutarde, dit-elle. Et y'a une saucisse sous ton lit. Je la vois d'ici.

Là-dessus, elle sortit sous la pluie et referma la porte derrière elle.

Au bout d'un moment, Bill se leva, nettoya le congélateur de l'Homme des Glaces, rinça la saucisse, la fit réchauffer dans le micro-ondes et la mangea.

24

Le lendemain, la pluie cessa. Des gouttes se balançaient aux branches, aux feuilles et au moindre brin d'herbe, et les remorques luisaient comme si on venait de leur passer une bonne couche de vernis. Le tourniquet et les Merdeux en Conserve arrivèrent à l'heure dite. Phil conduisait la remorque, et un Mexicain qu'il avait engagé au noir le suivait dans une voiture dont le tuyau d'échappement crachait de la fumée comme un pulvérisateur antimoustiques de l'ancien temps.

Phil et Frost parlementèrent un moment, puis Phil s'éloigna en tirant la gueule et il reprit la route avec son Mexicain, qui l'attendait au volant.

Frost réunit assez de forains pour remonter l'attraction. Elle était trempée d'avoir traîné dans l'herbe humide et le métal brillant et usé était visible en de nombreux endroits.

Cette peinture écaillée agaçait tout particulièrement Frost. Il se tenait au pied du tourniquet, avec ses deux seuls compagnons qui ne s'étaient pas encore évanouis dans la nature après cette rude tâche : Double Buckwheat et Conrad qui, comme à son habitude, avait une cigarette au bec. Du gruau de maïs avait accompagné les œufs du petit déjeuner, si bien que les deux têtes des jumeaux ressemblaient à des Tampons Jex qui auraient servi à récurer la majeure partie de la vaisselle des États-Unis.

Double Buckwheat se protégeait de l'éclat du soleil avec une main devant chacune de ses deux paires d'yeux. Conrad était coiffé d'un chapeau de feutre avec un bandeau noir et une plume. Il était plutôt mignon – un peu comme un chien déguisé avec des vêtements de gosse.

Bill, qui n'avait pas participé à l'installation du tourniquet et avait traîné toute la matinée, descendit de la remorque de l'Homme des Glaces et s'appuya contre elle en grignotant une *corn dog*. Il les observa en silence tandis qu'ils contemplaient l'attraction, la tête levée. Il aurait pu s'imaginer que la nuit précédente n'avait été qu'un rêve s'il n'avait pas retrouvé, à son réveil, la culotte en lambeaux de Gidget. Il l'avait posée sur son visage, son nez dépassant de la fente conçue pour ce qui, à son avis, était certainement la meilleure partie de cette salope, et il l'avait reniflée un long moment. Quand il s'était enfin levé, il s'était rendu compte qu'il avait raté le petit déjeuner.

Il mangea lentement sa saucisse. Il était si épuisé qu'il en avait mal aux dents. Il repensa à leur conversation, et il se dit que Gidget avait dû péter les plombs. Qu'elle avait réfléchi tout haut à quelque chose qu'elle ne souhaitait pas vraiment.

Il s'approcha du petit groupe.

– Vous observez les oiseaux ? demanda-t-il.

– On observe les oiseaux, répondit une des têtes de Double Buckwheat.

– Il a besoin de peinture, murmura Frost.

– Il a besoin de peinture, annonça la seconde tête de Double Buckwheat.

– Personnellement, je le trouve très bien comme ça, intervint Conrad. Surtout depuis que le patron veut nous faire grimper là-haut pour le repeindre. Le sol risque très vite d'être jonché de cadavres de Pointes d'Épingle et autres... Quant à moi, je suis assez nul en escalade.

– Il n'y a pas que des handicapés mentaux, ici... grommela Frost.

– Handicapés... dit une tête.

– Laissez-moi y réfléchir, répliqua Conrad, j'en suis pas si sûr.

– Pas si sûr, dit l'autre tête.

– Je pense simplement qu'il a besoin de peinture, insista Frost.

157

– Peinture... répétèrent les deux Buckwheat d'une seule voix.

– Je sais comment vous êtes quand vous estimez que quelque chose « a besoin de peinture », protesta Conrad. Ou besoin de ceci ou de cela... Vous ne laissez pas tomber tant que c'est pas réglé. Et en général, c'est moi qui me tape la corvée.

– Tu travailles ici, Conrad, rappela Frost.

– Exact et je fais tout, à part essuyer le cul des jumeaux, et je n'ai pas l'intention d'ajouter à mon profil de poste le nettoyage de cul et l'escalade de cette saloperie qui perd ses boulons.

– Saloperie... lancèrent les jumeaux d'une seule voix.

– Très bien, répondit Frost. Dans ce cas, je m'en chargerai moi-même.

– M'en chargerai moi-même, dit une des têtes de Buckwheat.

– Il va recommencer à pleuvoir, de toute façon, poursuivit Conrad.

– Pleuvoir, dit l'autre tête.

Frost se tourna vers Double Buckwheat, lui sourit et demanda :

– Les garçons, vous ne croyez pas que vous pourriez aller traîner ailleurs ? Ou peut-être filer vous laver les cheveux ?

Une des têtes répondit :

– On laisse tomber.

Et le freak s'éloigna.

– D'après moi, il n'y aura plus de pluie pendant un jour ou deux, dit Frost. Et si on réussit à le peindre, le soleil sera assez chaud pour le sécher avant l'ouverture de la fête, ce week-end.

– Puis-je savoir ce qui vous fait penser qu'on en a fini avec la pluie ? s'enquit Conrad.

– Elle s'est arrêtée.

– Oh, super ! Vous êtes un vrai spécialiste météo, patron !

– Et qu'est-ce qui te fait croire qu'elle va continuer, hein ? grogna Frost.

– C'est bon, Frost, vous gagnez. Aussi longtemps que je ne suis pas obligé de peindre cette saleté.

Conrad retroussa ses lèvres hideuses, montra les dents, salua Frost d'un coup de chapeau et s'éloigna à quatre pattes.

– Et toi, Bill, qu'en penses-tu ?

– Monsieur Frost, je ne connais absolument rien à tout ça.

– Tu m'aideras à le repeindre ?

Ce n'était pas une perspective qui le réjouissait, mais il ne se sentait pas en position de protester.

– Bien sûr.

Frost fit un saut en ville et en revint avec des tonnes de peinture verte et un sac de pinceaux. À midi, l'humidité avait disparu et le tourniquet était sec et prêt à être barbouillé.

Frost obtint l'aide de quelques forains, mais au fur et à mesure que la journée avançait, ils disparurent, comme la rosée du matin, et abandonnèrent derrière eux, dans les nacelles, leurs pots de peinture et leurs pinceaux : toutes leurs vieilles maladies s'étaient brusquement réveillées. Un seul d'entre eux, parce qu'il était trop crade, ne fut pas regretté sur ce chantier. Le vent, là-haut, avait répandu l'arôme de ses aisselles, et lorsqu'il redescendit sous un prétexte mineur, Bill et Frost furent ravis d'en être débarrassés. Bill avait l'impression d'avoir combattu toute la journée le démon de la puanteur – et cette lutte l'avait épuisé.

S'ils devaient se livrer à certaines escalades périlleuses, ils se déplaçaient principalement sur les traverses et dans les nacelles elles-mêmes. Une Pointe d'Épingle faisait fonctionner l'interrupteur. Le problème fut de l'empêcher d'appuyer trop souvent. À la mi-journée, il s'éloigna d'un pas nonchalant et alla chier près de la rivière.

Bill, alors, descendit et appuya sur le bouton, mais cette fois rien ne se produisit. Il alla chercher Conrad pour lui demander de jeter un œil. Conrad renifla de-ci de-là, tripota ci et tripota ça. Il avait apporté une petite trousse à outils. Il démonta le couvercle de la boîte de vitesse et n'eut pas de mal à évaluer la situation : elle était pleine de terre. C'était un miracle qu'elle eût fonctionné aussi longtemps. Avant de tirer sa révérence, Phil avait joué un dernier tour à Frost.

– Elle est bousillée, cria Conrad. Phil l'a bourrée de terre !

Bill leva les yeux. Frost les observait par-dessus le bord de la nacelle bloquée qu'il occupait. Il poussa un soupir audible dans tout le camp.

159

– Elle ne marche plus du tout ? hurla-t-il.

– Non, répondit Conrad.

– On peut la réparer ?

– On peut la remplacer.

Nouveau soupir de Frost.

– Je suppose que la seule solution, c'est de grimper et de finir de peindre ce qu'on peut atteindre par nos propres moyens. On a déjà bien avancé. Demain, je ferai un saut en ville pour trouver quelqu'un capable d'arranger cette boîte ou d'en bricoler une autre. Phil avait des problèmes, mais je ne me serais pas attendu à une pareille chose de sa part !

– Merde, moi je me serais attendu à bien pire ! grommela Conrad. Il espérait sans doute qu'il tomberait en panne quand la fête battrait son plein et que ça nous ferait perdre un paquet de fric.

– Bill, cria Frost d'en haut, tu crois que tu pourrais monter jusqu'ici et m'aider à finir les traverses et les dernières nacelles ?

Bill n'appréciait guère cette idée, mais il acquiesça d'un signe de tête.

– Si tu tombes, lui dit Conrad avec un sourire, rentre le menton et pense « caoutchouc »...

– Ouais, d'ac.

Conrad lui donna une petite claque sur la cuisse et s'en retourna à quatre pattes vers la remorque d'U.S. Grant.

Bill ôta sa chemise éclaboussée de peinture et se lança dans l'escalade. Il lui fallut un bon quart d'heure pour atteindre la nacelle à côté de celle de Frost.

– Merci, mon garçon, souffla celui-ci. Cela fait plaisir de constater que tu es loyal.

– Sûr... dit Bill.

Il se mit à peindre les traverses qui retenaient les nacelles. Le soleil était très chaud. Ce fut agréable un moment, puis il commença à sentir qu'il brûlait et ses poignets devinrent douloureux, à force de manipuler le pinceau. Il était barbouillé de peinture et il n'avait pas de chemise pour se protéger de l'ardeur des rayons.

Il ne regarda en bas qu'une fois. Vêtue d'une robe en coton ornée de fleurs bleues et roses, Gidget les observait en se proté-

160

geant les yeux de ses mains. Ce vêtement était si serré qu'on aurait dit une capote anglaise. Impossible de rater la moindre de ses formes. Une Pointe d'Épingle arriva derrière elle et lui souleva la robe.

Comme si elle était habituée à la chose, Gidget lui administra un direct du droit. L'Épingle s'éloigna en se tenant le nez.

Frost sourit et la salua de la main. Elle répondit à son salut.

Quand la lumière baissa, vers l'heure du dîner, le soleil traversa la structure métallique du tourniquet et vint remplir de caramel fondu la nacelle où travaillait Bill. Frost se retourna et lui sourit. À cet instant, Bill eut l'impression de contempler un être d'un autre monde. Le soleil couchant le baignait d'or.

— Je suis vanné, dit Frost.

— Ouais, grogna Bill.

— Fermons boutique et allons manger. On terminera demain matin. On fera les derniers bouts en redescendant. Ce sera un peu délicat, mais si on est prudents et qu'on s'attache les pots à la ceinture, on y arrivera. On verra ça demain. Pour l'instant, j'en ai assez de cette odeur de peinture.

— Ce serait peut-être plus facile de dépanner d'abord la boîte de vitesse, vous ne pensez pas?

— Peut-être, mais j'ai toujours aimé finir ce que je commence. On pourra liquider ça en une heure ou deux si on attaque tôt et ensuite j'irai en ville chercher un mécanicien. Il te reste beaucoup de peinture?

— Non. Pratiquement plus.

— Pareil pour moi.

Ils redescendirent.

Une demi-heure plus tard, Bill sortit d'une longue douche, où il s'était débarrassé de la peinture accumulée sur sa peau et de la puanteur qui imprégnait ses narines. On frappa à la porte. Bill noua une serviette autour de ses reins et ouvrit. C'était Frost.

— Écoute, fiston, j'ai besoin d'un service.

— Entrez.

— Non, je me dépêche. Je suis crevé et pour être franc il y a quelque chose que j'ai envie de regarder à la télé. Je vais te donner de l'argent pour la peinture et un petit supplément pour toi. Je voudrais que tu files en ville. Il y a un Wall-Mart là-bas – c'est à peu près le seul magasin ouvert à cette heure-ci. En fait, il le reste vingt-quatre heures sur vingt-quatre. C'est là que j'ai acheté la peinture. Reprends la même. Je t'ai noté les références ici. (Il sortit un bout de papier de sa poche et le lui tendit.) C'est ça qu'il nous faut. Et je t'ai indiqué aussi le nombre de litres.

– Très bien.

– Oh, j'envoie Gidget avec toi. Elle sait où se trouve le Wall-Mart.

– Sûr.

– Si elle en a envie, ensuite, arrête-toi pour lui acheter un petit quelque chose à manger.

– Sûr.

Frost tendit une poignée de dollars à Bill. Après son départ, celui-ci s'habilla et glissa le morceau de papier dans sa poche. Il passa un certain temps à se coiffer dans la salle de bains pour ressembler au mieux à James Dean. Il sortit enfin. Gidget, toujours vêtue de sa robe de coton à fleurs, fumait une cigarette, appuyée contre la voiture de Frost. Elle ne manifesta aucun plaisir à le voir.

Elle lui tendit les clés sans un mot. Bill se glissa derrière le volant et elle s'installa à côté de lui. Elle fit tomber la cendre de sa cigarette par la vitre ouverte. Elle donnait l'impression qu'elle aurait préféré s'enfiler l'antenne de la Chevy dans son petit trou du cul plutôt que d'aller traîner en ville avec lui.

Cinq kilomètres plus loin, Bill la regarda du coin de l'œil. Elle lui sourit, se colla contre lui et l'embrassa dans le cou.

– Fallait que je la joue comme ça, chéri. Je ne pouvais pas avoir l'air trop excitée.

– Sûr, pas de problème.

– Bon sang, c'que t'es beau, tout bronzé !

– Cramé, tu veux dire.

– Écoute, mon chou, tu sais ce que Frost a décidé ? Il veut se lever tôt, prendre la peinture, et finir le boulot tout seul avant ton réveil. Il pense que c'est une surprise sympa à te faire. Il sera donc là-haut le premier. Toi, tu seras encore au lit et moi je dormirai dans le camping-car, pendant que lui il fera le pitre sur ce truc branlant... Tout le monde lui a conseillé de s'en débarrasser. Ce matériel est vieux et il tombe en morceaux. Il est dangereux.

– Je n'aime pas le tour que prend cette conversation, murmura Bill.

– Au contraire, je crois que tu adoreras quand j'aurai terminé. Tout à l'heure, à notre retour, tu attends le milieu de la nuit, puis tu prends une torche, tu grimpes, et tu desserres les boulons de la nacelle où il doit se remettre au boulot demain matin. Tu t'arranges pour qu'un seul petit mouvement la renverse. Vu que l'endroit où vous avez arrêté de bosser ce soir est tout en haut, eh bien, ça fera une sacrée chute... Il est lourd.

Les mains de Bill se crispèrent sur le volant.

Ils entraient dans la zone éclairée de la ville.

– Tourne ici, dit-elle.

Ils longèrent une rue, et ils arrivèrent à une nationale. Sur l'ordre de Gidget, Bill prit à droite. Il continua un moment, dépassa quelques maisons, et arriva au Wall-Mart. Il se gara sur l'immense parking, loin du magasin. Il leur faudrait marcher un bon moment pour le rejoindre. Il coupa le moteur et ne bougea plus.

– Tu l'as déjà drogué pour le faire dormir. Si on l'éliminait de cette façon ? Une surdose de cachets. Pourquoi veux-tu qu'il tombe du tourniquet ?

– Parce qu'il faut que ça ressemble à un accident. On ne doit pas être impliqués. Mais si je le drogue, les tests des flics le prouveront. Ils trouveront tout de suite. Mon idée est meilleure.

– Si tu fais une chose comme ça, ce sera impossible de revenir en arrière, dit Bill. Je le sais. J'ai fait certaines conneries que je regrette. Ça paraît toujours facile, mais c'est pire que ce tout ce que tu peux imaginer. Je ne connais rien à rien, mais ça, oui.

– Ouais, et moi je sais un truc. Je te veux. J'aime ton look. Et aussi ces vingt-cinq centimètres de queue dont t'es doté. Et je n'ai aucune envie de vivoter quelques années et encore moins le reste de mon existence. J'ai besoin d'un nouveau départ. On y a droit, tous les deux.

– Vraiment ?

163

– Tu mérites ce que tu penses mériter. Tu as ce que tu as, mais parfois il faut que tu ailles le chercher. Tu piges ?

– Tu penses vraiment que ça va marcher ?

– Il veut être sympa avec toi. Il trouve que t'es chouette.

– Oh, merde...

– Contente-toi de m'écouter. Tu as travaillé toute la journée alors que tous les autres connards se sont défilés. Frost a apprécié. Demain, au lever du soleil, il termine le boulot. Il veut que ce soit fini rapido pour que ça ait le temps de sécher pendant qu'il ira en ville chercher un réparateur. Il monte dans cette nacelle, il remue son gros cul et plouf, il plonge... Ça ressemble à un accident. Personne n'en saura jamais rien.

– Et comment je desserre les boulons ?

– Avec une de ses clés anglaises. Je l'ai piquée dans sa caisse à outils. Pour l'instant, je l'ai planquée devant le camping-car, mais je n'ai pas encore pu te l'apporter à ta remorque. Je te la donnerai à notre retour au campement.

– Attention, Conrad dort souvent sur le toit de votre camping-car.

– Non. Plus depuis qu'il fourre Synora.

– Synora ?

– La femme à barbe.

– Oh.

Bill s'en voulut soudain de ne pas connaître son nom. Conrad était son ami, et il ne savait même pas comment s'appelait sa compagne !

– Faudrait que tu apprennes à faire attention aux détails, mon chou. Après cette histoire avec Phil, Conrad et elle se sont mis à la colle. Il dort dans sa caravane, maintenant. Et puis la météo imprévisible a chassé le toutou de notre toit. Bon, pense à ma proposition.

– J'y pense.

– Tu peux très bien grimper là-haut en deux temps trois mouvements, desserrer quelques boulons et redescendre. Ensuite, tu essuies toutes tes empreintes sur la clé et tu t'en débarrasses dans la rivière. Comme ça, même si on y retrouve des traces de peinture ou de la rouille des boulons, les flics ne pourront pas

164

remonter la piste, et même à la limite si tu oublies une empreinte, elle ne tiendra pas sous l'eau. De toute façon, ils ont peu de chance de la récupérer dans cette rivière, avec tous ses foutus remous. Tu balances ton truc là-dedans, et il disparaîtra à jamais. La mort de Frost sera un simple accident.

— Sauf que c'en est pas un.

— Dans un jour ou deux, en ce qui me concerne, ce sera un accident.

— Les flics vont rappliquer. Ils vont interroger tout le monde. Et je suis peut-être encore recherché après ce braquage de la baraque de pétards.

— S'ils se pointent, t'as même pas besoin de mettre le nez dehors, à moins qu'ils demandent vraiment à voir tout le monde. Ce sera juste un accident stupide. Laisse-moi te dire un truc : quand quelque chose arrive dans la fête foraine, personne ne se casse le cul pour en savoir plus. Tout le monde s'en tape, d'une bande de freaks. Et moi aussi. Allons faire nos petites emplettes, maintenant.

25

Ils achetèrent leur peinture et lorsqu'ils passèrent à la caisse, Gidget veilla à ne pas trop se coller à Bill, ni à paraître spécialement branchée sur lui.

Sur le chemin du retour, elle lui demanda s'il était censé lui payer quelque chose à manger.

– Frost a dit qu'on pouvait si t'en avais envie.

– J'ai pas faim, mais dans le cas contraire, y'en aurait environ pour dix dollars. File-les moi.

Bill sortit son portefeuille et le posa sur le siège. Elle prit un billet de dix dollars, puis un de cinq.

– Dis donc, j'avais vraiment la dalle ! dit-elle en riant. C'est normal que je récupère ce que tu aurais dépensé pour moi, n'est-ce pas ?

– J'imagine.

Ils roulèrent un moment, et Gidget lui indiqua soudain un chemin de terre, puis un peu plus loin, une piste qui grimpait en tournant à flanc de colline jusqu'à une petite forêt dominant la vallée, qu'on apercevait à travers les pins.

La pluie avait tout détrempé et Bill craignit de s'embourber, mais ils arrivèrent au sommet après quelques dérapages sans conséquence. Gidget alluma une cigarette et se perdit dans la contemplation du paysage. Ils restèrent silencieux un moment, puis elle dit :

– Il y a des années, quand j'étais au lycée, je venais ici avec un petit ami. C'était un type intelligent et gentil. Assez beau garçon.

Il voulait continuer ses études et s'occuper de moi. Il pensait que j'avais un vrai talent artistique et que je pourrais en tirer quelque chose. Mais je n'ai pas été assez patiente. Il a poursuivi sa route et il a réussi et je suis toujours scotchée ici...

– Et moi alors, bébé ?

– Tu comptes pour moi, chéri. Tu es beau et j'aime ça. Pourtant, tu manques de classe, tu n'es pas très intelligent et tu es probablement pourri jusqu'à la moelle, tout comme moi. Nous nous méritons, tous les deux.

Bill se demanda s'il devait prendre ça pour un compliment ou pas. Tandis qu'il y réfléchissait, Gidget retroussa sa robe d'une main tout en continuant à fumer de l'autre. Elle n'avait pas de culotte. Elle s'allongea sur la banquette et posa une jambe sur le tableau de bord, sans cesser de tirer sur son clope.

– On n'a pas le temps de faire des fioritures et tu n'as pas besoin non plus de me faire grimper au plafond, mais j'ai pensé que tu aurais sans doute envie d'un peu de cul. Alors, viens, petit cochon... Sers-toi.

Bill défit sa ceinture et baissa son pantalon et son slip jusqu'à ses genoux, révélant par la même occasion qu'il avait en effet « envie d'un peu de cul ». Il avait honte de lui sauter dessus comme ça, mais il n'avait pas non plus assez d'orgueil pour ne pas le faire. Elle continua à fumer d'une main tandis qu'elle lui caressait la nuque de l'autre. À un moment, il leva la tête et il vit qu'elle avait les yeux mi-clos et qu'elle soufflait de la fumée par le nez, et il en conclut – assez douloureusement – qu'elle était en train de penser à ce fameux étudiant qu'elle n'avait pas épousé. Il prit soin de lui faire un peu mal à chacun de ses coups de reins suivants.

Il ne tarda pas à conclure et elle alluma une autre cigarette. Il démarra, et cinq minutes plus tard la chevy franchissait la boue avec quelques difficultés. Ils retrouvèrent bientôt la nationale.

– Je me sens coupable d'avoir juste tiré ma crampe, comme ça, dit-il, sans avoir rien fait pour toi.

– Hé, c'était okay. On n'avait pas le temps d'autre chose. Je ne voulais pas que tu oublies de quoi tu profiteras tous les jours quand Frost sera mort.

Bill soupira.

– Y'aura pas de problème, ajouta-t-elle. Écoute-moi. Tu m'aimes ?

– Oui.

– Plus que tout ?

– Sûr.

– Donc, y'a rien qui te retienne, n'est-ce pas ?

Il ne répondit pas.

*

À leur retour au campement, ils tombèrent sur Conrad qui fumait une cigarette en observant les étoiles. Il regarda Bill et Gidget avec attention. Elle descendit de la voiture, lui adressa un petit signe de tête et disparut dans le camping-car. Bill pensa un instant à la clé anglaise, puis il rejoignit Conrad et lui tapa une cigarette. L'homme-chien lui donna du feu.

– Tu t'es donc mis à cloper ? s'étonna-t-il.

– Ça m'arrivait de piquer celles de ma mère. Mais seulement quand j'étais tendu.

– Tu es tendu, là ?

– Pas vraiment. Je ne sais pas. Je suppose.

– À propos de quoi ?

– La vie.

– Tu évites les fossés ?

– Bien sûr.

– Je veux parler des petits fossés avec du poil autour.

– Sûr. Le vieux nous a simplement envoyés en ville tous les deux pour acheter de la peinture. C'est tout. Et toi, ça boume avec Synora ?

– U.S. Grant ? Bon sang, personne ne l'appelle Synora. Elle parle de se raser la barbe. À ce moment-là, elle reprendra peut-être ce nom-là. Elle a aussi perdu du poids, récemment, car elle pense à rentrer dans le rang et retrouver une apparence plus normale. Moi, je resterai comme ça. À prendre ou à laisser.

– Elle va quitter la fête foraine ?

– J'sais pas. J'ai vu cette émission à la télé, l'autre soir. Un truc sur les gens du voyage. Paraît qu'ils adorent leur mode de vie. Maintenant, si tu me demandes mon avis, c'est un mode de vie de merde. Si Synora a l'occasion de plaquer cette fête et de se ranger, je serais à sa place, je n'hésiterais pas un instant. Elle pourrait même se payer cette électrolyse ou je ne sais quoi qui lui supprimera définitivement les poils.

– Ce serait bien, je suppose.

– Comme je vois les choses, si elle se tire, bon, c'est râpé pour moi. À moins qu'elle veuille un chien, dans la banlieue où elle s'installera. Tu sais, elle pourrait m'acheter une petite écuelle et me sortir pour pisser. Elle a déjà réussi une espèce d'examen par correspondance. Elle n'a même pas besoin de reprendre ses études. Moi, en revanche, j'ai aucun diplôme et en plus je ressemble à un putain de chien.

– Oui, mais à un gentil toutou. (Conrad éclata de rire.) Ça va s'arranger.

– Ouais, dit Conrad en jetant son mégot par terre et en l'écrasant avec la bande de cuir qui protégeait sa main, tu as raison, ça va s'arranger. Sauf que je risque de ne pas apprécier la façon dont ça se passera.

Il regarda le tourniquet. La peinture luisait sous la lumière des étoiles, même si on ne voyait pas vraiment sa couleur.

– Je dois au moins concéder ça à Frost, murmura Conrad. Cette saloperie a une meilleure gueule. Au moins dans le noir...

– C'est pas fini, dit Bill. On doit terminer demain matin. Il reste encore des endroits à peindre, tout en haut.

– Ouais, eh bien, je suppose que j'aurais dû grimper pour vous aider, reconnut Conrad. J'ai été salaud. En fait, je me débrouille pas trop mal en escalade. Simplement, je ne voulais pas qu'il le sache. Alors j'ai menti.

– Aucune importance. On finira à l'aube. Ça me fout la pétoche, mais on finira.

Conrad retroussa ses lèvres caoutchouteuses et montra ses dents, salopées par des brins de tabac.

– Bill, tu sais que t'es quelqu'un de bien ?

– Merci. Tu n'es pas si mal toi-même.

– Tu aimes la pêche ?

– J'y vais de temps en temps.

– Si demain cette rivière se calme un peu, on pourrait tenter notre chance. Qu'est-ce que t'en dis?

– C'est une idée.

– J'ai le matos.

– Alors, d'accord.

– Parfait, souffla Conrad. Je vais voir si j'attrape quelque chose à la télé, et si je peux séduire Synora.

– Ouais, fais quand même attention à ne pas t'embourber le goupillon.

– On peut toujours espérer.

26

Au petit matin, dans la remorque de l'Homme des Glaces, Bill était assis sur le tabouret qu'occupait Frost lorsqu'il faisait son boniment sur son phénomène.

Les yeux fermés, tenant mollement le sèche-cheveux entre ses jambes, il se répétait le laïus habituel de Frost. Il était vêtu d'un costume de la couleur de la crème glacée à la vanille, d'une chemise pêche et d'une cravate bleu foncé, et il avait chaussé des pompes bicolores – blanches et marron – cirées avec tant de soin qu'on avait mal aux yeux quand on les regardait.

Il imaginait la foule qui se pressait autour du congélateur, suspendue à ses lèvres. Toutes les femmes étaient aussi mignonnes que Gidget, mais pas aussi bronzées. Elles contemplaient l'Homme des Glaces et jetaient des coups d'œil discrets à ses parties intimes, et aussi de temps en temps à Bill qui s'exprimait avec autorité. Toutes ces gonzesses avaient envie de lui, il en était certain. Il le lisait dans leurs yeux. Oh, oui, elles le désiraient, parce que la sensualité de ce défunt messager du passé, venue d'au-delà de la mort, du gel et de la pétrification, les excitait.

Et lui aussi, il avait envie d'elles, et il les pénétrerait chacune à leur tour, et leurs hommes n'en prendraient pas ombrage, car ils savaient au plus profond d'eux-mêmes qu'il le méritait et que c'était un honneur pour eux.

Il rouvrit les yeux et considéra la vitre blanchâtre. Il souleva lentement le sèche-cheveux entre ses jambes et l'alluma ; l'appareil bourdonna et cracha de l'air chaud qui chassa le givre.

Dès qu'il posa son regard l'Homme des Glaces – qui apparut brusquement comme s'il se libérait d'un seul coup de sa prison –, Bill eut la sensation d'entrer en lui et de voir par ses yeux. Au-dessus de lui, à présent, il y avait la vitre constellée de gouttes d'eau, et à travers elle, il apercevait son propre visage qui l'observait de ses orbites vides.

Brusquement, il prit conscience de l'univers désert qui l'entourait. Pas d'étoiles. Pas de lune. Pas de forme. Rien que du néant.

Ce fut une sensation si déconcertante que Bill dut serrer très fort ses paupières pour se couper de ce qu'il voyait et de ce qu'il *croyait* voir.

Bon sang, que lui arrivait-il ?

Jusqu'à sa rencontre avec Frost, Bill estimait qu'il n'y avait que lui qui comptait et qu'il n'y avait pas trente-six façons de voir les choses. Pour lui, le Bien et le Mal n'avaient aucune réa-lité. Ce n'étaient que des mots. Mais désormais, il croyait avoir aperçu de la lumière – et il l'avait appréciée. C'était Frost qui la lui avait offerte. Car Frost avait cru en lui. Et puis, maintenant, il avait un ami, Conrad, et du coup cette lumière était encore plus vive.

Ensuite Gidget était arrivée, traînant de l'ombre dans son sillage ; elle ressemblait à un gâteau vitaminé et il avait mordu dans cette friandise et il s'était senti comme Adam, quand il avait cro-qué la pomme... La lumière qui s'éteignait. Le sol qui cédait sous ses pas. Les vaines tentatives de se retenir aux racines et aux plantes rampantes...

Bill prit une profonde inspiration. Il décida de s'accrocher, de planter solidement ses pieds dans la terre ferme. Il décida de grimper et de revenir dans la lumière. De ne pas obéir à Gidget. De s'échapper de ce fossé contre lequel Conrad l'avait mis en garde. Sauf que l'homme-chien, son ami, se trompait – ce n'était pas un fossé, mais un abîme.

Le sèche-cheveux continuait à ronronner. Bill essaya de trou-ver un endroit où se cacher, au-delà de ce bruit, mais c'était impossible, car sa souffrance était encore plus forte et plus toni-truante. Il rouvrit les yeux et contempla l'Homme des Glaces.

Tout ce que t'as à faire, c'est de ne rien faire, pensa-t-il.

172

Tout ce que t'as à faire, c'est de laisser courir.

Tu n'as pas pu récupérer cette clé, et donc tu ne peux pas agir.

Ne touche plus à cette femme. Rien ne peut t'y obliger, sauf toi-même, et tu es ton propre capitaine.

Attends que ça passe et tout ira bien.

On frappa à la porte. Il sursauta et son mouvement débrancha le sèche-cheveux. L'air chaud s'arrêta et l'appareil lui parut soudain flasque entre ses mains.

La proximité de la Sabine rafraîchissait l'air nocturne. La rivière et le sol humide de l'East Texas imprégnaient l'atmosphère de leurs odeurs. Des odeurs douces et suaves qu'il imagina n'être pas très différentes de celles de la naissance.

Bill ouvrit.

Sur les marches, devant lui, il vit la clé anglaise. Il regarda vers le camping-car. Gidget filait dans cette direction. Ses fesses se balançaient sous sa robe de coton comme si elles se battaient entre elles. Elle disparut à l'intérieur et referma silencieusement la porte sans même se retourner.

Bill contempla l'outil pendant une bonne minute. Puis il se pencha et le ramassa. Il était lourd. Il sentait encore le parfum de Gidget.

Oui, il était le capitaine – mais d'un navire échoué sur les récifs.

27

Il commença son ascension, la clé anglaise passée dans sa ceinture.

Il progressait prudemment. L'humidité nocturne s'était déposée sur le métal. Il avait du mal à trouver des prises pour ses mains et à placer ses pieds ; en séchant la peinture neuve était devenue glissante et cela ne lui facilitait pas la tâche.

Le ciel s'était dégagé. Pendant son escalade, Bill faillit se perdre dans les étoiles, énormes et magnifiques, suspendues au-dessus de lui. Le croissant de lune ressemblait aux yeux mi-clos d'un chat traquant une souris. Les grillons s'égosillaient et les grenouilles s'en donnaient à cœur joie dans la rivière. La lumière se collait aux pins comme une brume et les métamorphosait en des pyramides étroites, rangées côte à côte.

À deux reprises, la clé cogna contre la structure métallique ; il regarda autour de lui, mais ne vit personne. Lorsqu'il atteignit la nacelle la plus haute, il entendit un bruit au-dessous de lui. Une Pointe d'Épingle et Double Buckwheat se tenaient au pied du tourniquet, comme surgis de nulle part.

Bill s'immobilisa. Il reconnut l'Épingle. Il se nommait Pete. Il s'en souvenait parce que ce pauvre gars avait une tête rose et luisante, couronnée d'un anneau de cheveux qui ressemblait à un nid d'oiseaux mal tenu par ses proprios.

Pete et les jumeaux discutaient. Pete disait :

– Non, oh, oh.

Ce qui représentait sans doute un bon tiers de son vocabulaire.

– Après, c'est toi, annonça un des Buckwheat.

– Oh, oh, non.

– On échange, insista l'autre Buckwheat.

– Non.

– Deux têtes, c'est mieux qu'une.

À cette idée, Pete marqua une pause. Une longue pause. Double Buckwheat lui tendit ce qui ressemblait à une barre chocolatée. Pete avait peut-être répondu quelque chose, mais Bill n'en était pas sûr. L'Épingle se retourna et se faufila entre deux remorques. Un moment plus tard, les jumeaux lui emboîtèrent le pas. Bill se glissa discrètement dans la nacelle, s'y tapit et observa, par-dessus le rebord, la suite des événements.

Il vit Double Buckwheat et Pete se déplacer comme des fantômes dans la nuit, un spectre pâle sur lequel on aurait pu lancer des anneaux, et un autre noir et bicéphale... Ils disparurent dans les taillis, près de la rivière.

Bill décida qu'ils étaient assez loin et qu'il devait finir ce qu'il avait commencé, parce que d'une certaine façon, il n'avait pas d'autre solution. Voir les fesses de Gidget se battre entre elles avait vaincu ses dernières réticences. Ces merveilleuses rondeurs tonnaient comme des canons, dans son esprit.

Il prit la clé à sa ceinture et tâtonna à la recherche des boulons. Quand il en trouva un, il respira profondément et resta assis, immobile, tandis que ses yeux s'habituaient à l'obscurité de l'intérieur de la nacelle. Puis il dévissa l'écrou jusqu'à ce qu'il pût être retiré avec les doigts. Il se déplaça légèrement et recommença avec un autre. La nacelle grinça un peu.

Comment ressortir de ce putain de truc sans qu'il me balance? se demanda-t-il alors. N'empêche qu'il en desserra un troisième. Il s'approcha doucement du bord, qu'il enjamba avec circonspection, se retourna et termina son travail en se penchant vers l'intérieur. Désormais, les écrous tenaient à peine. Une simple brise les emporterait. Quand Frost, inconscient du danger, entrerait là-dedans pour finir sa foutue peinture, il tomberait.

Bill baissa les yeux. Ce serait une chute formidable. Frost y survivrait peut-être, mais s'il basculait la tête la première, ou s'il atterrissait sur les jambes ou sur le dos, il y passerait. Ou alors, il serait sérieusement amoché... Et pourquoi pas... ? Il serait paralysé, mais vivant, et Gidget serait forcée de s'occuper de lui. Un juste retour de manivelle. Mais non, ça ne marcherait pas. D'une façon ou d'une autre, elle était décidée à avoir sa peau. Et comprenant cela, sachant que c'était inévitable, avec ou sans lui, Bill remit la clé dans sa ceinture et entreprit de redescendre.

Une fois en bas, il longea les remorques et continua jusqu'à la rivière, à la recherche d'un endroit assez profond pour se débarrasser de son outil.

Alors qu'il traversait un bouquet de pacaniers, il entendit Double Buckwheat qui disait :

– Oui, monsieur, c'est ça qu'il nous faut.

Bill se laissa tomber sur le ventre. Parfaitement immobile, il tendit l'oreille.

Bon sang, comment avait-il été assez stupide pour oublier ces débiles ?

Pendant qu'il était là-haut, ils étaient sortis des taillis et avaient gagné la berge. Il avait tant de choses en tête qu'il ne s'était pas souvenu qu'ils traînaient dans le coin. Il ne pensait qu'à balancer sa foutue clé et il était venu jusque-là dans cette intention, alors qu'il aurait été bien plus simple de la jeter dans la rivière près de sa remorque. C'était vraiment LA connerie à ne pas faire ! Maintenant, il y aurait deux, *ou plutôt trois,* témoins qui pourraient déclarer qu'ils l'avaient vu rôder dehors la nuit précédant l'accident...

Bill écouta un moment le bouillonnement de la rivière, et soudain, au-dessus du bruit de l'eau, il perçut un son évoquant un bébé tétant un biberon vide. Il s'avança en rampant prudemment sur le sol humide, jusqu'au moment où il distingua Double Buckwheat entre deux troncs d'arbre. Pete, à genoux devant lui, le suçait comme si sa queue était une paille plantée dans une pomme qu'il désirait aspirer sans comprendre qu'il n'y parviendrait jamais...

C'était donc ça qu'il y avait derrière leurs pourparlers et cette barre chocolatée... Les jumeaux avaient baratiné l'Épingle pour se faire pomper.

Seigneur ! Avaient-ils une bite ou deux ?

176

Bill plissa les yeux pour mieux voir. Une seule !

Au bout d'un moment, Double Buckwheat tressauta et Pete lança la tête en arrière. Le sexe noir des jumeaux vomit sa mayonnaise. Leur semence éclaboussa Pete et le sol, tout autour de lui.

– A mauvais goût... dit celui-ci.

– Oh ! souffla Double Buckwheat en tendant la main pour s'appuyer contre un pacanier. Oh !

Pete se releva et déboutonna son pantalon.

– Moi, maintenant

– Naan, fit Double Buckwheat.

– Avais promis.

– Naan.

Pete restait planté là, avec sa pathétique petite biroute rose qui dépassait comme une trompe d'insecte.

– Avais promis...

– Naan, le ferai pas.

Double Buckwheat referma son pantalon.

Pete tenta un compromis :

– La toucher ?

Double Buckwheat lui envoya alors un violent coup de poing qui l'atteignit à la mâchoire. L'Épingle s'écroula et roula sur le dos avec sa bite qui pendait mollement sur un côté.

Les jumeaux, souriants et comblés, s'éloignèrent, abandonnant Pete inconscient. Ils passèrent juste à côté des buissons où Bill était caché, mais ils ne le virent pas. Celui-ci les suivit du regard tandis qu'ils regagnaient le campement. Puis il considéra Pete de nouveau... Le malheureux ne bougeait toujours pas.

Il se demanda si cela se produisait régulièrement, vu que Pete était incapable de tirer la moindre leçon de ses échecs passés. Bill se redressa doucement et se glissa en silence entre les pacaniers. Il prit la clé à sa ceinture et la lança le plus loin possible dans la rivière. Elle disparut dans un bref éclaboussement. Elle allait probablement s'enfoncer dans la vase et donner du fil à retordre à quelque poisson-chat.

Quand il se retourna, il découvrit que Pete s'était relevé. Il se tenait la mâchoire avec sa main. Son sexe était toujours sorti de son pantalon.

177

– Tu me suces ? demanda Pete.

Bill secoua la tête.

– La toucher ?

– Non.

– Mince.

La seule solution, maintenant, c'est de l'éliminer, se dit Bill. Pete ne se souviendrait sans doute pas qu'il s'était trouvé ici, cette nuit, mais s'il le tuait et balançait son corps dans la rivière, il serait tranquille. À part qu'on repêcherait un cadavre et qu'on verrait bien qu'il s'agissait d'un crime. Bon, il avait toujours la possibilité de déguiser sa mort en accident. Ou peut-être que Double Buckwheat pourrait être accusé de cet assassinat ? Oui, il réussirait peut-être à magouiller quelque chose comme ça. Bon sang, quand des frères siamois étaient arrêtés pour meurtre, étaient-ils tous les deux coupables ? L'un des deux était-il capable de moucharder l'autre ? Pouvait-on en condamner un à mort et laisser vivre le second ? En guillotiner un et relâcher le survivant avec une seule tête et un moignon cautérisé ?

Pete considérait Bill comme si c'était la première fois qu'il le voyait – c'était sa manière à lui de regarder les gens. Pour Pete, chaque jour était un nouveau jour et une sieste équivalait à une résurrection.

Bill se retourna sans un mot et se dirigea vers le campement, Pete sur les talons. Il passa entre deux véhicules, prit à gauche et revint vers sa remorque. Il resta un moment sur les marches. Il sentait encore l'odeur de la rivière, mais à présent, ce n'était plus le parfum frais et propre d'une naissance, mais quelque chose qui rappelait la poussière et la décomposition.

Il entendit Pete qui faisait le tour de sa remorque d'un pas lourd. Il rentra et verrouilla derrière lui, puis il écouta, l'oreille collée contre la porte. Pete grimpa les marches et appuya sur la poignée. Celle-ci remonta d'un coup et lui échappa des mains.

L'Épingle dit :

– Tu me suces. Je te suce. Tours.

Bill respira aussi silencieusement que possible. Les marches grincèrent et Pete sembla s'éloigner. Bill alla à la fenêtre proche du congélateur, il écarta discrètement le rideau et jeta un coup d'œil à l'extérieur. Pete regardait dans sa direction. Bill fut certain qu'il l'avait vu. Il laissa lentement retomber le rideau puis il ôta ses chaussures et ses chaussettes, s'allongea sur son lit et contempla le plafond. Quelques minutes plus tard, il se releva, éteignit la lumière et retourna à la fenêtre. Pete était toujours là, à contempler la remorque.

Comme s'il avait oublié avec qui il avait passé son marché de pipes.

Bill se recoucha et recommença à fixer le plafond.

J'aurais dû le tuer... pensa t il. J'aurais pu me débrouiller pour qu'on accuse Double Buckwheat. J'y ai pensé, mais je ne l'ai pas fait. Je pense à des trucs que je devrais faire et que je ne fais pas et à des trucs que je ne devrais pas faire – et ceux-là, je les fais... Je suis comme ça. Serais incapable de reconnaître un bon choix même s'il me mordait le cul et refusait de lâcher.

Il ralluma et passa dans la salle de bains. Il avait dégueulassé sa chemise en rampant sur le sol humide. Et aussi le devant de son pantalon. Il se déshabilla, resta en caleçon, et emporta ses fringues avec lui sous la douche. Il les savonna, puis il se lava. Il essora ses vêtements et les suspendit à la tringle du rideau de douche. Il ôta son caleçon, le tordit et le posa à côté du reste. Il s'essuya et retourna à la fenêtre. Pete était toujours là, l'air d'attendre quelque chose. Bill alla se coucher, nu.

Je sors avant le lever du jour. Je fais croire à Pete que je suis okay pour le sucer, je l'emmène à la rivière et je le balance dedans et il se noie.

Mais non. Je suis déjà allé trop loin. Il vaudrait mieux plutôt que je remonte sur le tourniquet et que je revisse ces boulons avec mes doigts... Ouais, voilà ce que je devrais faire. Je n'ai jamais tué personne. J'ai déconné, d'accord. Mais c'est Chaplin qui a flingué le marchand de pétards, et maman est morte toute seule, et puis ce flic qui nous a pourchassés dans les marais s'est éclaté la tête accidentellement. Et Fat Boy a été bouffé par les serpents. Je n'ai tué personne. Personne.

Pas encore.

Il suffit que je retourne là-haut resserrer ces boulons pour arrêter tout ça... Bon Dieu, je n'aurais jamais dû accepter ! Je n'aurais

179

pas dû ramasser cette clé devant ma porte ni, bien sûr, saboter cette nacelle. Je n'aurais pas dû non plus coucher avec cette créature du Diable. Mais il est possible de tout arranger. Je peux. Je peux remonter sur le tourniquet et tout remettre en place. Je peux. Et je vais le faire.

Et ensuite? Même si je n'aide pas Gidget, elle aura la peau de Frost. Peut-être pas demain, mais bientôt.

C'est vrai. Mais dans ce cas, je n'y serai pour rien. Et si je prévenais Frost? J'ai les moyens d'empêcher cette folie. Je n'ai pas besoin de cette femme. Je n'ai besoin de rien de ce qu'elle a.

Sauf que j'aime ce qu'elle a....

Et elle a beaucoup. Elle a ce qu'il faut.

Oublie ce qu'elle a, oui, et file immédiatement resserrer ces boulons... C'est vrai... Ouais, les boulons... Je vais le faire... Les boulons... Les boulons...

Un hurlement le réveilla.

28

Le petit matin était lumineux et tiède lorsque Bill sortit en
courant de sa remorque, après avoir enfilé à la va-vite son pantalon et ses chaussures. Il leva les yeux pour examiner le tourniquet : la nacelle avait basculé et elle se balançait d'avant en
arrière à la manière d'un godet de pelle à vapeur. Des goutte-
lettes de peinture verte tombaient du ciel comme une pluie
radioactive.

Bill n'avait jamais entendu parler de la chute d'Icare, lorsque
la chaleur du soleil avait fait fondre la cire qui fixait ses ailes,
mais la façon dont Conrad s'était écrasé au sol y faisait penser :
le cou de l'homme-chien était arqué, son dos en U encore plus
tordu, et on aurait juré qu'il essayait de faire un numéro de
cirque, dressé sur la nuque et les jambes en l'air.

Un pot de dix litres de peinture verte avait explosé sur Conrad
et partout autour de lui, tel un avocat géant. La remorque de Bill
en était toute maculée. On aurait dit que quelqu'un s'était amusé
à y cracher de grandes chiques d'épinard mâché. Sur le dessin de
l'Homme des Glaces, elle avait formé de petites émeraudes.

Un pinceau encore humide était venu se coller sur une de ses
fenêtres comme un oiseau exotique qui se serait écrasé en plein
vol contre sa vitre. Une des chaussures de Conrad était plantée
dans une mare verdâtre.

Plusieurs de leurs compagnons étaient déjà sur place – Pete,
que Bill soupçonnait d'avoir attendu là toute la nuit que
quelqu'un se dévouât pour lui tailler une pipe, U.S. Grant qui

hurlait et un nain nommé Spike qui tournait en rond sur une jambe en proférant des obscénités. Et d'autres, maintenant, apparaissaient : Double Buckwheat, des Potirons, quelques clandestins mexicains et enfin, Frost.

Bill et lui se précipitèrent vers Conrad en même temps. Un côté du visage de l'homme-chien reposait sur le sol, et son œil, sorti de son orbite, n'était plus retenu que par son nerf. On aurait dit qu'il essayait de s'échapper de sa joue en rampant. De la peinture coulait le long du nez de Conrad et sur sa lèvre supérieure, s'accumulant dans le coin de sa bouche. Deux ou trois de ses dents baignaient dans l'océan vert qui entourait sa tête. Il y avait moins de sang que de peinture, mais il y en avait. La respiration de Conrad était sifflante, comme si un être invisible s'amusait à piétiner une œuvre d'art fragile emballée sous cellophane.

Bill se laissa tomber à genoux devant le globe oculaire sorti de son orbite pour que Conrad pût le voir. L'homme-chien battit des cils, comme si son œil était toujours à sa place.

– *J'ai meldé*, grogna Conrad en crachant des dents et de la peinture.

– Bon sang, Conrad ! dit Bill.

– Ça va s'arranger, Conrad, murmura Frost.

– *Hon-hon.*

– Seigneur ! souffla Bill. Doux Jésus !

– *Ebbayé d'aggrabber une trabberse. J'ai échoubbé.*

– Sûr, dit Bill.

– *Ebbayé penbber caoutchoubbe.*

J'en doute pas, se dit Bill.

Frost souleva délicatement le globe oculaire par le nerf et le tourna pour permettre à Conrad de le voir.

– Je suis désolé, Conrad.

– *Ouaib, bbé ça m'aibbe bas.*

Frost reposa doucement l'œil sur la joue de Conrad, puis il cria au nain qui continuait à tournoyer :

– Appelle quelqu'un. Va chercher mon portable. Fais le 911. Et préviens Gidget.

– *Ça bba bba du tout*, fit Conrad.

182

Il toussa un peu, émit quelques rots sifflants et il ne respira plus.

— J'allais monter là-haut ce matin, dit Frost. Ç'aurait dû être moi !

U.S. Grant s'était un peu calmée, et elle avait cessé de crier. Elle se laissa tomber à côté de son amant. Elle le prit dans ses bras et le fit pivoter pour qu'il n'eût plus les pieds en l'air. L'œil exorbité de l'homme-chien se retrouva baigné de peinture et du sang commença à jaillir en abondance de son corps et à se mélanger à la couleur.

— Il avait décidé de vous faire une surprise, expliqua-t-elle. Bill lui avait dit qu'il vous restait quelques trucs à peindre. Il a sorti le bidon de la voiture. Il n'arrivait pas à dormir. Il avait décidé de vous faire une surprise !

— Seigneur ! murmura Bill.

— Il a grimpé sur le tourniquet au lever du jour, reprit U.S. Grant. J'étais en train de lui préparer son petit déjeuner. Il allait finir le boulot avant de manger. J'ai entendu la nacelle grincer et... Oui, il allait finir le boulot avant de manger...

— C'est de ma faute, dit Bill.

— Non, murmura Frost, les joues ruisselantes de larmes. C'est de la mienne.

— C'est exact, fit U.S. Grant. *De votre faute.* Il vous fallait ce tas de ferrailles ! Personne, à part Phil, ne savait vraiment comment l'assembler, mais il vous le fallait à tout prix. Et vous avez décidé de le peindre illico presto ! Conrad voulait toujours vous faire plaisir, Frost. Tout le monde veut toujours vous faire plaisir, mais vous n'êtes pas si malin que ça. Vous avez merdé. Vous et votre putain d'idée !

— Je sais, dit Frost, en passant la main dans les cheveux de Conrad tartinés de peinture.

Une espèce de voile noir s'abattit sur Bill. Il se leva, trébucha et s'écroula. Il se releva, trébucha encore.

Tandis qu'il regagnait sa remorque presque à l'aveuglette, Gidget sortit du camping-car. Elle avait pris le temps de se coiffer et de se mettre du rouge à lèvres. Elle portait un pantalon de pyjama bleu tout simple et un haut avec un oiseau de paradis aux couleurs vives brodé au dessus du cœur. Elle était chaussée de pantoufles bleues avec des pompons de coton bleu sur les orteils. Elle considéra Frost, Conrad et U.S. Grant, puis son regard se tourna vers Bill mais ne resta posé sur lui qu'un instant; elle poussa un long soupir, déglutit, prit une profonde inspiration et se mit à courir vers Frost en hurlant, comme si c'était elle qui venait de tomber.

29

U.S. Grant porta Conrad jusqu'à sa remorque et le nettoya avec du diluant à peinture et des serviettes en papier; elle remit son œil en place à l'aide d'une pince à épiler, de deux boules de coton et d'un morceau de ruban adhésif.

Il avait meilleur aspect que l'autre œil, qui avait frappé le sol et qui ressemblait à un grain de raisin piétiné par du quarante-six fillette. Elle découpa une lanière dans sa robe pour fabriquer un bandeau, puis elle fit la toilette de Conrad, le vêtit de sa salopette rouge, noua ce bandeau sur son œil écrasé et donna un coup de peigne à sa tignasse en désordre. Enfin, elle lui enfila ses chaussures et l'enveloppa dans un dessus de lit.

Frost, aidé d'un Potiron, emmena alors le corps chez les Merdeux en Conserves et l'allongea derrière les bocaux, sur sa paillasse posée par terre, à côté d'un jeu de cartes, sous le portrait chiffonné de Jésus souffrant.

Alors, Frost appela la police.

Dans la remorque de l'Homme des Glaces, Bill ramassa les westerns offerts par Conrad et les empila proprement au pied de son lit, puis il alla les poser sur le congélateur, vint se rasseoir et les examina en essayant de se souvenir de chacune de leurs intrigues. Il resta là un bon moment, et puis les larmes apparurent; il secoua la tête, s'allongea, pleura et s'endormit pour échapper à la douleur.

Un peu plus tard, la police se pointa et rassembla les forains pour les interroger; les flics relevèrent les identités de tout le monde, et Bill leur donna un faux nom dont aucun de ses compagnons n'avait de raison de douter car personne ne le lui avait encore jamais demandé. Au fond de lui, il avait eu envie de leur fournir son véritable patronyme, dans l'espoir qu'ils le reconnaîtraient, car il voulait être embarqué et châtié.

Ils ne semblèrent soupçonner aucun coup fourré, même si le cadavre avait été nettoyé avant leur arrivée, et Pete ne leur raconta pas qu'il avait sucé la bite des jumeaux près de la rivière et qu'il avait croisé Bill en pleine nuit. Sans doute avait-il déjà tout oublié. La police ne lui posa qu'une ou deux questions et décida que cela revenait à peu à près à discuter avec un navet.

Quand les flics s'en allèrent, Bill retourna à sa remorque, portant sa culpabilité comme une seconde peau. Il était là depuis une quinzaine de minutes, quand il entendit un bruit à l'extérieur. Il enfila son pantalon et sortit pieds nus. Frost était perché sur un petit tabouret-escabeau, avec un seau d'eau savonneuse. Une bouteille de diluant était posée par terre. Il nettoyait les taches vertes sur la remorque avec une brosse et un chiffon.

– Touchez pas à ça ! s'exclama Bill. Touchez pas à ça !

– Holà, Bill, ça va.

– Y'a rien qui va ! Conrad est mort !

– Je sais ce que tu ressens.

– Vous savez que dalle ! Il n'est mort que depuis quelques heures et vous êtes déjà en train de faire votre grand ménage !

– Il le faut, Bill. Nous ne voulons pas que l'héritage de Conrad se résume à des traces de peinture et un pinceau collé à une fenêtre, n'est-ce pas ? J'aimerais autant ne pas m'en souvenir de cette façon.

– Eh bien, moi oui. J'veux me sortir de tout ça ! J'en ai ma claque de cette remorque. J'en ai marre de l'Homme des Glaces. Marre de vous. De votre putain de fête foraine. Vous n'en avez rien à foutre qu'il soit mort.

Bill disparut à l'intérieur en claquant la porte. Un moment plus tard, Frost entra, prit une chaise et s'assit, les mains sur les genoux. Il considéra Bill un instant. Celui-ci, couché sur le lit, serrait un oreiller contre lui.

– Conrad comptait beaucoup pour moi, murmura-t-il enfin.

186

– C'est ça, dites-moi que vous l'avez eu dans un refuge quand il était chiot.

– Bill, tu oublies qu'à ton arrivée ici tu considérais tous ces gens comme des « débiles », des « nègres » – juste des freaks. C'est moi qui t'ai fait changer d'avis. Je t'ai installé ici dans un but. Je voulais que tu sois avec l'Homme des Glaces.

– Eh bien, j'apprécie pas ce gars-là.

– C'est la façon dont il te fait te sentir que tu n'apprécies pas. T'es-tu jamais demandé pourquoi tu réagis de cette manière ?

– Je ne réagis d'aucune manière.

– Parfois, je pense que c'est une sorte de messager, pour nous tous. Que chacun de nous voit en lui ce qu'il *veut* y voir.

– C'est idiot.

– Peut-être. Cette petite histoire que je raconte aux visiteurs... Je suis obligé de la dire comme ça, mais ce n'est pas la vérité. (Malgré lui, Bill devint plus attentif.) Sais-tu qui est Constantin ? (Bill secoua la tête.) C'était un Empereur romain. Il a exploré Jérusalem, en quête des lieux saints où s'est trouvé le Christ. Où il a été crucifié. Et enterré. Il affirmait que son corps reposait dans une église de cette ville, l'église du Saint-Sépulcre. Et beaucoup de gens croient qu'il s'y trouve encore, caché quelque part. D'autres sont d'un avis contraire. Certains prétendent que Constantin l'a fait enlever, craignant que des personnes malintentionnées, sachant où il était, n'essaient de s'en emparer. Comme l'Arche d'Alliance, le corps du Christ aurait des pouvoirs. En tout cas, on le pensait.

Bill posa lentement les pieds sur le sol et se pencha en avant.

– Le corps du Christ aurait été conservé grâce à des méthodes dont le secret a été perdu, et caché par peur du vol et de la profanation, poursuivit Frost. Et puis la situation a changé au Moyen-Orient. Un soulèvement après l'autre. Le corps a disparu, c'est du moins ce que racontent les spécialistes de l'ésotérisme. D'une manière ou d'une autre, il aurait quitté Jérusalem et trouvé le chemin des États-Unis. Là, il a appartenu à un milliardaire excentrique qui détenait aussi le journal du véritable Jack l'Éventreur, la tête coupée et desséchée de saint Jean-Baptiste et le pénis de Raspoutine, encore que sa fille conteste

187

ce dernier point et assure que c'est elle qui possède ledit pénis. Et elle a en effet une chose qui ressemble à une banane noirâtre... Mais bon, la question n'est pas là. Beaucoup d'argent changea de mains et, donc, ce personnage richissime s'offrit le corps du Christ. Plus tard, il mourut et quelqu'un, peut-être un membre de sa famille, qui était amer pour une raison quelconque, ou mécréant, ou je ne sais quoi, le vendit à une fête foraine. Mais il n'en était pas moins sacré pour autant. Et cela permit de présenter Notre Sauveur à de nombreuses personnes. Quand j'ai acheté cette attraction à mon tour, l'ancien propriétaire m'a raconté cette histoire, mais la version qu'il débitait au public est identique à la mienne, aujourd'hui. Selon lui, les gens n'auraient pas supporté de savoir, ni même seulement de soupçonner, qu'ils étaient en présence des restes véritables du Christ... Et cependant, quand ils le regardaient, ils *savaient*, quelque part au plus profond de leur cœur.

— Je croyais que le Christ avait ressuscité, dit Bill. N'est-ce pas ce qu'on raconte ? Si c'est le cas, il ne devrait pas y avoir de corps.

Frost hocha la tête :

— S'il n'était qu'un homme, alors, il y a forcément eu un cadavre. Et n'empêche que c'est quand même l'un des personnages les plus importants de l'histoire de l'humanité. Et s'il était vraiment le fils de Dieu, le corps n'était que l'enveloppe de son esprit ; lui seul aurait ressuscité, alors, et pas l'enveloppe.

— Vous êtes en train de dire que... c'est *vraiment* son corps ?

— Je suis en train de dire que j'ai acheté l'attraction et l'histoire. Peut-être que c'est le cadavre d'un parent de l'ancien propriétaire de la fête foraine... Ou d'un clochard anonyme qu'on a conservé. Cela n'a pas d'importance, Bill. Ce qui compte, c'est ce que tu décides de croire.

« Maintenant, je vais te laisser et finir de nettoyer ces taches de peinture sur le flanc de cette remorque. Puis j'essaierai de trouver un endroit où faire embaumer Conrad, avant l'inhumation. Il a toujours été pour moi un ami proche et sincère et j'ai l'intention de l'aider à quitter ce monde.

— Il l'a déjà quitté.

– Je suppose.

Frost se leva et sortit. Un instant plus tard, Bill l'entendit recommencer à travailler. Il ôta les livres de poche du congélateur et les reposa à côté de son lit.

Puis il alluma le sèche-cheveux pour éliminer le givre de la vitre. Le personnage allongé là ne ressemblait guère aux représentations de Jésus que Bill connaissait. Quelque chose en lui, pourtant, rappelait le dessin collé sur le mur de la remorque des Merdeux en Conserve, mais avec des yeux qui faisaient penser à ceux de Frost. Il avait des cicatrices sur le front, qui auraient pu être faites par une couronne d'épines, et d'autres, sur le flanc. Bill crut discerner aussi une espèce de marque à l'un de ses pieds. La blessure d'un clou ?

C'était peut-être une simple ride.

30

Frost décida de ne pas ouvrir la fête foraine ce week-end-là, et il obtint l'autorisation de rester sur place pour s'occuper de Conrad et donner à tous ses compagnons le temps de porter son deuil. La plupart des forains, pourtant, estimaient qu'ils n'auraient dû prendre qu'un jour de congé – celui où on descendrait Conrad dans le trou – et se remettre au travail dès le lendemain. Ils appréçiaient Conrad et certains, même, l'aimaient sincèrement, mais un dollar était un dollar et il fallait manger, Superchien mort ou pas. Mais, comme d'habitude, ils furent obligés de choisir entre obéir à Frost – ou prendre la porte.

Il s'avéra que les choses ne se passèrent pas aussi simplement que Frost l'avait imaginé. En ville, on lui confisqua le corps, en attendant de retrouver l'éventuelle famille du mort. Frost prétendait que Conrad était seul au monde, mais personne ne voulut le croire sur parole. Des affaires de ce genre s'étaient déjà produites et les fonctionnaires municipaux s'étaient fait taper sur les doigts. Ils mirent donc le chien à la morgue et on entreprit les recherches.

Et, en effet, Frost se trompait. On découvrit rapidement que Conrad avait une cousine en Idaho. Celle-ci voulait récupérer le corps, mais elle était trop invalide pour venir le chercher. Elle demanda si on pouvait empailler Conrad, lui mettre une plaque portant son nom, de façon à pouvoir l'exposer. D'après elle, cela aurait facilité d'autant son transport. Frost mentit et lui répondit qu'il était trop abîmé pour cela. Elle lui suggéra alors de le lui apporter, et Frost étant ce qu'il était, il accepta. Il souhaitait être sur place pour s'assurer que Conrad se retrouverait vraiment sous terre et pas à côté d'un porte-parapluies. Il prit des dispositions pour le faire embaumer et le placer dans un cercueil fourni par le cimetière des animaux du coin, parce que c'était le seul dans lequel il ne serait pas bringuebalé, comme un plomb de chasse dans un wagon de marchandises... L'embaumement et la mise en bière – ils utilisèrent un cercueil prévu pour les colleys et les bergers allemands – prirent deux jours. Le troisième, Frost retourna en ville le chercher.

Plus tard, il vint voir Bill et lui parla de la fameuse cousine.

– Je vais m'absenter un moment, ajouta-t-il. Je dois filer en Idaho. Il me faudra une semaine pour aller là-bas, assister aux funérailles, donner un coup de main, et rentrer. Gardez la boutique, avec Gidget.

– Mais je n'y connais rien.

– D'autres savent, mais ils ne veulent pas s'en charger. Gidget va le faire, mais elle aura besoin d'aide. De petites choses. Elle te dira quoi.

– Et si j'emmenais Conrad là-bas à votre place ? proposa Bill.

– C'est moi qui dois m'en charger. Pour moi et pour Conrad, j'ai besoin que tu me donnes un coup de main. Tu es d'accord ?

Bill marcha jusqu'à la voiture et regarda, à l'arrière, le petit cercueil bleu posé sur la vieille garniture fendillée.

Au revoir, mon ami. Que la paix soit avec toi. Je suis désolé. Mais je vois ce fossé qui arrive et je ne sais même pas conduire.

Frost partit ce même après-midi. Et, tard cette nuit-là, Gidget revint gratter comme un chat à la porte de la remorque de l'Homme des Glaces.

– Je sais que c'est toi, souffla Bill.

Et puis il pensa que ce pouvait tout aussi bien être Pete sollicitant sa pipe du soir.

– Tu me laisses entrer ?

– Non, va-t-en.

– Il s'est tiré, Bill. Nous pouvons être ensemble.

– J'ai tué mon ami à cause de toi.

191

– Non, c'est un accident si Conrad est mort.

– Sans toi et moi, il n'y aurait pas eu d'accident.

– C'est exactement ça, Bill. C'est à cause de *toi et moi*. Pas seulement moi.

– C'est fini, Gidget. Fiche-moi la paix.

– Tu me veux, Bill. Je le sais et tu le sais...

Bill voyait le fossé qui approchait.

– Laisse-moi entrer. Laisse-moi prendre soin de toi. Je suis la seule à pouvoir le faire. Tu m'entends, Bill ?

– Je t'entends.

– Si tu m'ouvres, mon chou, je vais t'offrir des choses que tu n'as jamais eues.

– Non.

– Tu es en train d'y réfléchir...

– *Non !*

– ... n'est-ce pas, Bill ? Tu sais ce que je peux faire...

– *Va-t'en !*

– ... pour toi. Et ce n'est pas seulement ce que je peux faire. C'est aussi ce que tu veux. Inutile de faire semblant de valoir quelque chose, Bill. Tu ne vaux rien. Tu es exactement comme moi, pourri jusqu'à la moelle. Tu essaies de porter une foutue auréole pour faire plaisir à Frost. Mais ce n'est pas toi. Si auréole il y a, elle est faite de papier d'alu sur un cintre, mon chou. Tu es qui tu es. Toi et moi, on est pourris, et c'est tout. Et personne ne pourra jamais nous rendre heureux, à part toi et moi. Ensemble.

– S'il te plaît, Gidget...

– Bill, c'est la dernière fois que je te le demande. Je ne suis pas du genre à supplier, et tu le sais. Y'a plein de gens partout qui aimeraient être à ta place. Ouvre cette porte !

Il obéit et Gidget bondit sur lui et lui expédia un coup de poing qui l'atteignit au-dessus de l'oreille. Il s'écroula et quand il fut à terre, elle essaya de shooter dans ses testicules. Il l'évita en roulant sur lui-même, mais elle le toucha au côté d'un second coup de pied. Il se releva et elle lança de nouveau la jambe, mais cette fois il l'attrapa par le talon et tira vers lui. Elle tomba et il sauta sur elle à califourchon. Il la gifla deux fois, deux allers et retours, et elle souffla :

– Ouais, mon chou, ouais, vas-y...

Alors, il la frappa à nouveau, et cette fois cela n'avait plus rien à voir avec de la colère, c'était du plaisir – qu'elle partageait. Elle attrapa les pans de son corsage des deux mains et elle l'ouvrit en le déchirant, exposant ses seins magnifiques à la face du monde. Bill fourra ses doigts dans son short en jean usé et tira de toutes ses forces. Le mini-vêtement craqua, découvrant une cuisse superbe, et craqua encore, révélant le reste. Elle le griffa, arracha son T-shirt, lacéra sa chair, et il commença à saigner. Elle fit courir ses mains sur la poitrine de Bill et étala le sang, puis suça ses doigts vermillon. Il la gifla encore et elle gémit. Pendant qu'il ôtait sa propre ceinture, elle lui écrasa le nez. Il défit son pantalon, le baissa et s'allongea sur elle. Elle essaya de serrer les cuisses. Il lui mordit un téton et elle écarta les jambes avec un petit cri. Elle était chaude, humide et collante. Il la pénétra et elle grogna :

– Je t'ai, maintenant, espèce de fils de pute !

Et pour l'avoir, ça oui, elle l'avait eu. Sur lui et en dessous. Quand ce fut fini, ils restèrent couchés côte à côte, elle dans le creux de ses bras et lui essoufflé et rassasié.

– Ça n'a pas marché, dit-elle finalement. Ce sont des choses qui arrivent.

– C'était affreux.

– Je sais. Tu as perdu un ami. On n'a pas eu le bon. On a merdé. On doit être sûrs que c'est lui qui y passera, et pas simplement l'espérer.

– Tu ne renonceras jamais, n'est-ce pas ?

– Rien d'autre ne compte pour moi, Billy. Soit tu me veux, soit tu es du côté de Frost. Écoute. Si on le fait, on récupère l'Homme des Glaces. Tu l'aimes bien, hein ?

– Sûr. Et j'aime bien Frost aussi.

– Lequel des deux tu préfères ?

– Pourquoi être obligé de choisir ?

– Tu gardes Frost. Il a l'attraction et pas nous. Pas toi. Tu pourrais être le patron. Tu ne sais pas où tu en es, mon chou, mais si tu l'élimines, on récupère le Glaçon, toi et moi on est aux commandes et tu deviens le chef. La force motrice. Et nos galères sont finies. Pour de bon. Je te le promets. On doit saisir cette occasion. C'est le meilleur moyen, et le plus facile, de faire un bond en avant dans la vie. C'est *notre* bond, chéri.

– Frost m'a dit que ce truc, en réalité, était le corps du Christ.

– Il sert aux gens ce qu'ils veulent entendre, mon chou. Il se prend pour le Bon Samaritain. Il croit qu'il peut te rendre meilleur – et il essaiera de parvenir à ses fins en te baratinant ou en utilisant ce cadavre. À toi, il te dit que c'est Jésus-Christ. À un autre, il racontera que c'est la dépouille d'un quelconque chanteur de rock. Il sent qui tu es, et ensuite il te dit ce qu'il croit qui marchera le mieux. Tu sais ce que je pense, moi ? Que c'est un truc en caoutchouc.

– Il ne m'a pas juré que c'était le Christ. Juste que c'était la véritable histoire qu'on lui avait racontée.

– Il a une sacrée provision de « véritables histoires ». Pour moi, c'est un machin en caoutchouc. Point final. Frost s'en sert pour se donner de l'importance.

– Bon sang, s'exclama Bill, c'est ça que je veux. Être important !

– Et tu peux. Écoute, chéri. Même si c'était Jésus et qu'il était ici pour t'aider personnellement, ça ne marcherait pas. T'es pourri, je maintiens ce que j'ai dit, et tu veux faire semblant de ne pas l'être. Tu crois que tu pourrais te tourner vers la religion ou un truc comme ça pour t'améliorer, mais une fois qu'une pomme est gâtée, mon chou, elle le reste. Je te conseille plutôt d'assumer cette pourriture et d'y prendre plaisir. Rien, dans ce congélo, ne te changera. Ni toi, ni personne.

Ils furent silencieux un moment. Finalement, Bill murmura :

– On fait ça... Mais je ne veux pas que ce soit le début de quelque chose. Tu vois, que ça devienne une sorte de mode de vie... On ne le fait qu'une seule fois.

– Qu'est-ce que tu baragouines ?

– Ce meurtre. Qu'on soit pourris ou pas. On ne fait ça qu'une fois. D'accord ? Je veux dire, on n'a envie de tuer personne d'autre, n'est-ce pas ?

– Quand c'est fini, c'est fini. Crois-moi, on peut y arriver. Faut juste que j'y réfléchisse un moment. Inutile de précipiter les choses.

– Ce serait mieux si c'était quelqu'un que je n'appréciais pas.

– Écoute, Bill. Il t'aime bien. Mais il a surtout pitié de toi. Ça te plaît d'être pitoyable ? Ça n'a rien à voir avec du respect, de l'amitié ou de l'amour. C'est juste de la pitié. Moi, je t'aime, Billy. Je sais comment on est, tous les deux. Je ne me voile pas la face. Et pourtant, je t'aime. Tu as vraiment envie que je continue à coucher avec un type qui a une main collée sur la poitrine ? Tu veux que j'accouche d'un bébé qui pourrait en avoir une au même endroit ? Ou sortant de son cul ? Ou au sommet du crâne ? C'est ça que tu veux ? Vraiment ? Réfléchis-y. Réfléchis à la façon dont tu m'as baisée, mon chou. Personne ne m'a jamais fait ce que toi, tu m'as fait. Personne n'a aimé ça comme nous l'aimons. Je ne veux pas être partagée. Je te veux toi.

– N'empêche que je n'ai toujours rien contre lui.

– Qui t'a dit que c'était nécessaire ?

31

Gidget le quitta tôt, alors qu'il faisait encore nuit. Elle s'en alla en tenant contre elle son short et son corsage, laissant Bill nu dans son lit. Les draps étaient déchirés et tachés de sang. Couché au milieu de ce champ de ruines, Bill s'imaginait de nouveau à la place de Frost, sur son tabouret, en train de débiter son discours habituel devant l'Homme des Glaces...

Son esprit vagabondait. Jésus. Jésus n'existe pas. Et dans le cas contraire, il ne serait pas ici, dans cette remorque... Il n'aurait pas fini dans un congélateur. Et même s'il était là, par le plus grand des hasards, même si c'était lui sous cette vitre, qu'est-ce que ça aurait à voir avec moi ?... Frost a pitié de moi, comme si j'étais un freak de plus. C'est lui, le putain de freak ! Me sortir ces conneries sur l'Homme des Glaces !... Conrad, c'était un chic type. Je l'aimais bien. Ça n'aurait pas dû arriver, et pourtant c'est arrivé, même si je ne l'ai pas voulu. Je n'avais pas l'intention de faire du mal à Conrad. Ce n'est pas de ma faute. C'est Gidget et moi et c'est tout... Que Frost aille se faire foutre de m'avoir raconté cette histoire ! Que j'aille moi-même me faire foutre d'avoir pensé que ce macchabée avait la moindre importance ! Ce n'est qu'une attraction que je veux récupérer, rien d'autre.

Finalement, il prit une douche, arrangea le lit et s'habilla. Malgré ce que Frost lui avait expliqué avant son départ, ils n'avaient pas grand-chose à faire aujourd'hui. Ils étaient coincés ici tant qu'il ne leur donnerait pas de ses nouvelles. Gidget était censée maintenir la cohésion de leur groupe – sauf qu'il existait déjà un ordre établi dont elle ne faisait pas partie. Lui-même ne voulait pas s'en mêler non plus, du moins pas avant d'avoir récupéré l'Homme des Glaces pour son propre compte. À ce moment-là, oui, pour la première fois de sa vie, il serait important. On tiendrait compte de lui. Ce ne serait peut-être pas la présidence des États-Unis, mais ce serait toujours mieux que de vivoter des chèques de sa mère. Du moins quand elle était encore capable de les toucher.

Vers midi, on tapa à la porte de la remorque. Bill ouvrit, espérant que c'était Gidget. Mais non. Il avait devant lui une femme aux cheveux noirs, vêtue d'un jean et d'un corsage ample. Un peu grosse, mais plutôt jolie. Elle tenait un sac poubelle à la main.

– Conrad aurait voulu que tu récupères ces trucs-là, dit-elle.

– U.S. Grant ?

– U.S. Grant, c'était avant. Maintenant, j'ai rasé ma barbe. Pour moi, la fête foraine, c'est terminé. Je t'ai apporté tout ce que possédait Conrad. Tout est dans ce sac. Principalement des westerns. Il adorait ce genre de livres.

– Où vas-tu aller ?

– N'importe où. Je me tire avec mon camion dans l'heure qui suit. C'est fini pour moi. Plus de barbe, plus de boulot.

– Elle repoussera.

– Pour le moment, je vais me raser tous les jours. Ensuite, je règlerai ce problème. Je trouverai certainement un autre travail quelque part, même si je dois tapiner dans les champs pétrolifères. J'en ai jusque-là de cette merde. Je pensais déjà me tirer, de toute façon. Et maintenant, sans Conrad, plus rien ne me retient ici. La fête foraine part en couilles et Frost est en train d'en perdre le contrôle. Je pense que c'est de la faute de cette salope blonde.

Bill prit le sac poubelle.

– Eh bien, bonne chance, Bill, ajouta-t-elle.

Synora/U.S. Grant quitta leur campement une demi-heure plus tard, au volant de son tracteur de semi, et Bill ne la revit jamais.

32

Une semaine s'écoula, et Gidget reçut un appel de Frost sur son portable. Il s'était arrêté en Oklahoma, où il avait étudié un nouveau circuit pour la fête foraine. Il ne rentrerait que dans sept ou huit jours. Ce fut une bonne surprise : cela permit à Bill et à Gidget de passer plus de temps ensemble, et ils n'en gaspillèrent pas une miette.

Et puis Frost fut de retour.

Ils firent leurs bagages et tout reprit comme avant – à part que Moitié-Moitié les abandonna pour les bras d'un travesti de Denton, et que les nains devinrent extrêmement hargneux. Gidget ne venait plus gratter à la porte de Bill et, le soir, celui-ci s'asseyait sur son porche et contemplait le camping-car. Certaines nuits, quand la lune l'éclairait sous un certain angle, il avait presque l'impression que Conrad était encore couché sur son toit et qu'il chevauchait le rythme du couple qui s'envoyait en l'air en dessous. Et puis Bill plissait les yeux, et ce n'étaient que des ombres.

Quant au balancement, ce n'était pas ça qui manquait et Bill détestait imaginer ce qui se passait là-dedans – Frost qui frottait Gidget avec sa main morte parcheminée, glissée dans un gant de soie noire. C'était une horreur, pour lui, et pourtant il sortait chaque soir et il guettait les soubresauts du véhicule... et il y en avait un paquet ! Il se mit à grincer des dents et à fumer comme un pompier. Il cessa de lire les livres de Conrad que Synora lui avait laissés et, en un jour fatidique où la fête foraine était installée à l'extérieur de Tyler, Texas, il les empila devant sa

198

remorque et y mit le feu. À partir de ce moment-là, il ne vit plus Conrad sur le toit du camping-car.

Quand il croisait Gidget, ils gardaient leurs distances. Ils s'étaient mis d'accord à ce sujet. Ils avaient convenu qu'ils devaient simplement être polis l'un envers l'autre. Ils attendaient une occasion. Une occasion parfaite. Mais Bill, parfois, se disait qu'elle était trop bonne à ce petit jeu – comme si, peut-être, elle avait renoncé à lui pour faire seule ce qu'elle avait prévu, en le laissant hors du coup.

Et cette idée le rendait dingue.

L'été s'en donna à cœur joie, puis céda la place à l'automne. La fête foraine parcourut son nouvel itinéraire en Oklahoma, avant de redescendre dans l'East Texas. À en croire les météorologues, un certain El Niño, une espèce de courant climatique, était en train de foutre le bordel dans le pays. Le temps était complètement détraqué. Des inondations et de fortes marées ravageaient la Côte Ouest des États-Unis, et des ouragans la Côte Est. L'eau bouillonnait dans le Golfe du Mexique et déferlait avec fureur sur les rivages de Galveston. Le ciel crachait ses orages à tout moment. Des tornades parcouraient le Texas. Près de Corrigan, l'une d'elles emporta leur tourniquet, auquel Frost n'avait jamais renoncé – il le montait à chaque arrêt. Elle fit tournoyer un bon moment la structure métallique et un des nains de leur groupe, puis elle abandonna celui-ci, sain et sauf, près d'une aire de stationnement de camping-cars qu'elle n'épargna pas : elle entrelaça les caravanes et le tourniquet et déposa le tout en bordure de la nationale 59, près d'un concessionnaire automobile, fière de sa dernière œuvre d'art climatique.

Et puis l'hiver s'installa et, avec lui, la glace. La grêle fouettait les campagnes, les arbres craquaient et se courbaient. Personne n'avait plus réellement envie de fréquenter les fêtes foraines. Jadis, quand le temps était simplement un peu plus froid, les forains faisaient encore des affaires. Mais aujourd'hui Frost avait dû tout annuler. Les gens étaient tendus et effrayés. Ils n'avaient jamais vu un temps pareil.

Beaucoup de choses changèrent.

Le tourniquet n'était plus là depuis longtemps et les autres attractions se délabraient lentement.

199

Le nain qui avait chevauché la tornade les laissa tomber pour travailler dans une station-service à Mineola, Texas. Les demi-portions restantes commencèrent à bousculer tout le monde et à jurer sans retenue.

Les forains ne prenaient plus leur petit déjeuner tous ensemble, à l'extérieur. Il faisait trop froid.

Un Potiron nommé Bill mourut subitement, un matin, sur la rive texane de la Red River. On l'enterra dans la partie du cimetière réservée aux indigents, à Paris, Texas, avec son seul nom gravé sur une plaque métallique bon marché. Personne ne souhaita l'empailler. Personne ne le réclama. Il n'eut droit qu'à la terre et à un cercueil si bas de gamme que ce n'était guère plus qu'une boîte en carton – un amuse-gueule pour les vers.

Finalement, les forains, attristés par la perte de certains de leurs compagnons et démoralisés, se retrouvèrent à l'endroit où ils avaient campé des mois auparavant – là où Conrad était tombé du tourniquet. Cette bonne vieille Sabine continuait à gronder. Les saules qui n'avaient pas encore été emportés s'agitaient toujours dans un vent violent et, maintenant, ils faisaient tinter leurs carillons éoliens de glace. Le ciel débordait de nuages vernissés avec une espèce de dépôt savonneux et la grêle cognait leurs véhicules comme pour bien leur signifier qu'elle ne rigolait pas.

Dans l'attente d'une amélioration de la météo, leur petite communauté bruissait de murmures.

– Ce n'est plus comme avant.

– Frost n'est plus ce qu'il était.

– Je gagnerais davantage avec une attraction.

– Je m'en tirerais mieux avec trois gobelets et un petit pois.

– J'ai un terrain. Je peux y mettre un panneau. Les gens s'arrêteront pour me voir. Et j'ai toujours la possibilité d'ouvrir un zoo de serpents, ou d'acheter des rats russes. De coudre une cinquième patte à un veau. De démarrer ma propre affaire et de ne plus bouger.

– Tu me suces ?

– Non, non.

– Deux têtes valent mieux qu'une !

Un silence.

– D'accord.

Plus tard :

– Maintenant, moi ?

– Non, non.

– Me toucher ?

Vlan !

Des murmures qui changeaient et d'autres qui restaient les mêmes.

Bill et Gidget continuaient à se montrer prudents.

Bill rêvait de Gidget et il se demandait si elle rêvait de lui.

Et l'Homme des Glaces, comme toujours, se taisait.

33

La fête foraine ne bougea plus. Frost avait loué le pré au bord de la Sabine. Un jour où il fit un peu plus chaud et que la glace fondit, il eut l'idée de remonter le moral de sa petite troupe en commandant en ville de la pizza pour tout le monde. Il téléphona, mais personne n'accepta de les livrer. Il décida d'envoyer Bill et Gidget les chercher.

Gidget, arborant son expression renfrognée habituelle – celle-là même qui vous donnait envie de l'assommer – monta dans la voiture côté passager. Frost, qui n'était vêtu que d'un T-shirt, d'un pantalon léger et de pantoufles, comme si cette température était son élément naturel, resta un instant sur le sol gelé à côté de Bill.

– Achète autant de pizzas que nécessaire, lui dit-il. Tout le monde est au trente-sixième dessous. Moi y compris. Ce genre de petit geste pourrait nous aider. N'en prends pas aux anchois. Ce serait du gaspillage, vu que seul un nain et quelques Épingles accepteraient d'en manger.

– D'accord, dit Bill.

– J'ai donné de l'argent à Gidget. Elle est odieuse, mais elle est toujours comme ça quand on lui demande de faire quelque chose. Ne t'en occupe pas. La vérité, c'est que je ne veux pas seulement des pizzas, j'ai besoin aussi de passer un moment sans elle...

– D'accord.

– Ça va, fiston ?

– Je suppose.

– Tu penses toujours à Conrad ?

– Non, pas trop.

– C'est bien, je crois. Mais ça ne veut pas dire qu'on l'oublie, n'est-ce pas ?

– Ouaip.

– Allez, file, maintenant. Et fais attention. La glace commence à fondre. On va avoir une sacrée belle journée, à mon avis. Demain, on se remet en route.

– On a des représentations de prévues ?

– Oui, une, dans deux semaines. Mais, on est obligés de partir d'ici. Je n'ai payé la location du terrain que jusqu'à aujourd'hui. Et le propriétaire n'a pas de cœur. Il se moque que quelques freaks soient bloqués par le mauvais temps. Ça ne le dérangerait pas qu'on se jette dans la rivière. Il veut son argent, point final.

– Frost, cette histoire sur l'Homme des Glaces... Elle est vraie ?

– Je ne t'ai pas dit qu'elle l'était. Je t'ai seulement rapporté ce qu'on m'a raconté. Parfois, je la crois. Et certains jours, je ne crois en rien. Mais au bout du compte, on a tous besoin d'avoir foi en quelque chose.

Bill acquiesça d'un signe de tête, sceptique. Il aurait voulu voir Frost s'engager davantage, lui répondre que ce récit était vrai et qu'ils étaient en face d'un fait miraculeux, qui changerait la vie de tout le monde... Sauf que Frost n'avait rien dit de tel. Et il n'y avait aucun miracle.

Bill prit les clés et se glissa au volant. Il fit marche arrière avec précaution. En effectuant un demi-tour pour prendre la petite route, il entendit la glace crisser sous ses pneus. Double Buckwheat dansait à côté de sa remorque sur du rock'n'roll. Il avait enfilé plusieurs chemises, un manteau épais et un bas de survêtement en Thermolactyl, et il s'était chaussé de bottes à lacets.

– J'aimerais écraser ce nègre, grommela Gidget.

– Tu es de mauvaise humeur aujourd'hui, constata Bill.

La route était très glissante, car la glace n'avait pas autant fondu que Frost l'avait pensé. Bill conduisait prudemment, avec difficulté.

– Je suis juste pressée, c'est tout.

– Pressée de quoi ?

– Tu le sais bien.

– Je pensais que tu avais oublié tout ça.

– Menteur !

– Alors, disons que je l'espérais plus ou moins.

– Là non plus, je ne te crois pas. On a une occasion, maintenant, Bill.

– Comment ça ?

– Tu as entendu Frost. Demain, on reprend la route. Voilà ce qu'on va faire : ce soir tu sabotes sa voiture. Rien de trop bizarre, tu salopes simplement sa conduite de freins.

– Les flics s'en rendront compte tout de suite.

– Attends la suite. Tu t'occupes de ses freins. Tu sais comment t'y prendre, n'est-ce pas ?

– Plus ou moins.

– Donc, demain, avant le départ, je pleurnicherai : « Ah ouais, Bill dit que les freins de la voiture sont en train de nous lâcher. Tu ne devrais pas la prendre. » Je vais piquer ma crise, comme si je ne voulais pas qu'il risque sa vie, tu vois ? Il va adorer. Je le convaincrai d'atteler la Chevrolet au camping-car.

– Et ça donnera quoi ?

– Il sera obligé de conduire le camping-car. Moi, je dormirai à l'arrière, comme d'hab – à part que ça ne sera pas vrai. Il se mettra au volant et je lui dirai que j'avale un somnifère parce que je suis naze, que je ne me sens pas bien. Un truc dans ce genre. J'inventerai quelque chose. Mais avant qu'on démarre, je m'échapperai du camping-car et toi, tu te glisseras à l'arrière. Je conduirai la remorque de l'Homme des Glaces à ta place.

– T'as pas intérêt à lui coller au train. Sinon, il risque de te voir dans son rétro.

– J'aurai une casquette de base-ball et des lunettes de soleil. Je remonterai mes cheveux. Il ne me reconnaîtra pas. Ce que nous allons faire ira très vite, de toute manière, et j'ai besoin d'être juste derrière lui pour ça.

– Des lunettes de soleil en hiver ?

– La glace fait mal aux yeux. Elle t'aveugle.

– Ouais, d'accord. Elle t'aveugle.

– Toi, tu es dans le camping-car, à l'arrière. Frost prendra la tête du convoi. Il aime ça, être en tête. Je serai juste derrière vous. Cette portion de route, là-bas, près du pont. Tu vois de laquelle je parle ?

– Ouais.

– Juste avant d'y arriver, le terrain qui la borde descend vers la rivière.

– Je sens que j'aime pas ça.

– Contente-toi de m'écouter. Qu'est-ce que tu as fait à la hauteur du pont, tu te souviens ?

– J'ai ralenti.

– Et pourquoi ?

– Parce qu'il y a un dos d'âne sur la chaussée censé empêcher de franchir le pont trop vite. Je suppose que c'est parce qu'il est étroit. Ils veulent qu'on s'arrête et qu'on surveille s'il n'y pas de voiture qui arrive en face.

– Exact. Bon, quand il ralentit, tu sors de la chambre et tu le chopes par-derrière.

– Je préfère faire ça avec toi.

– Ferme-la et écoute-moi. Tu lui passes le bras autour du cou, tu bloques ta main dans le creux de ton autre bras, et tu utilises ce bras-là comme un levier sur sa nuque. Comme ça. (Elle lui montra la prise.) Si tu laisses tomber ton coude pour qu'il pointe vers l'avant, tu peux presser ses jugulaires et couper sa circulation sanguine. Il s'évanouira, mais ne mourra pas étouffé. Ensuite, tu refais démarrer le camping-car et tu roules jusqu'au bord de la rivière. Une fois là, tu descends. Je te suivrai, dans le tracteur de semi. Personne, derrière nous, ne verra ce qui se passe. Je m'avancerai doucement et je l'enverrai dans la rivière. Toi, tu reviens en rampant, en faisant semblant d'être à moitié noyé.

– On se rendra bien compte que tu le pousses exprès.

– Je reste un peu en arrière, mais au moment où vous arrivez au stop, j'accélère, et dès que vous êtes sur le bord, je remets les gaz. Je m'arrangerai pour prendre de l'avance sur les autres. Tout ce qu'on saura, c'est que j'ai perdu le contrôle de mon véhicule, et Frost du sien, que j'ai heurté le camping-car et qu'il a fini sa course dans l'eau. Personne ne pensera qu'il s'agit d'un meurtre. Avec ton étranglement, il sera dans les pommes, mais il pourrait revenir à lui. Sauf que ce ne sera pas le cas, parce que l'eau glacée l'achèvera. Quand les flics enquêteront, ils ne chercheront rien de particulier. Il n'aura aucune marque si tu fais exactement ce que je viens de t'expliquer. Ce sera juste une regrettable noyade.

– Comment connais-tu une prise pareille ?

– J'ai appris des trucs par-ci, par-là. Je suis restée quelques mois avec un gars qui était prof de judo. Ils utilisent ce truc-là.

– Tu es sûre que personne ne me verra sortir du camping-car ?

– Et même si on te voit ? Quelle importance ? Vous fonciez vers la rivière. T'as eu la trouille et tu t'es sauvé.

– Tu veux que je passe pour un lâche ?

– Tu pensais que Frost te suivait, mais à ce moment-là, je vous ai heurtés et il n'a pas eu le temps.

– Normalement, c'est moi qui conduis le semi de l'Homme des Glaces. Comment on expliquera que j'étais avec Frost ?

– Il n'y a rien à expliquer, mon chou. On est les seuls à être au courant de ce changement. Je dirai aux flics que tu ne te sentais pas bien et que Frost et moi on t'a proposé de t'allonger à l'arrière du camping-car et que je t'ai remplacé au volant. J'ai déjà conduit tous ces foutus trucs, j'ai tous les permis nécessaires, rien de suspect là-dessous. Et ils se foutront pas mal que j'aie une casquette et des lunettes de soleil. Simple coquetterie féminine.

– Si je suis si malade, comment j'arrive à m'échapper ?

– On racontera une autre histoire, si tu veux. Il t'a demandé de monter avec lui, parce qu'il voulait te parler, te confier davantage de responsabilités dans la fête foraine.

Ils approchaient de la ville. Il y avait moins de glace, par là. Ils se garèrent devant la pizzeria, entrèrent, passèrent leur commande et s'installèrent à une table du fond pour attendre. Ils sirotèrent des sodas avec des pailles.

– Et une fois qu'il est mort, dit Bill. Qu'est-ce qui se passe ?

– Facile. On est tous les deux, mon chou. Et on a l'Homme des Glaces. Tu l'aimes, non ? Ça crève les yeux.

206

– C'est un truc intéressant.

– T'auras bien meilleure allure que Frost, quand tu débiteras ton laïus aux gogos. Et moi, je serai libérée de cette troisième main.

Bill paya les pizzas. C'était plus cher que ce qu'il avait pensé, et il ne récupéra qu'une poignée de petites pièces.

34

Ce soir-là, sous le break de Frost, ça caillait vraiment. Bill était obligé de tenir la lampe de poche entre ses dents et il travaillait avec une petite clé. Il se demandait s'il avait intérêt ou pas à s'en débarrasser quand il aurait terminé. De toute façon, il ne comprenait pas grand-chose au système de freinage des bagnoles. Allongé là, l'outil à la main et la lampe dans la bouche, il essayait de se souvenir comment fonctionnait ce truc. Il décida finalement que ça ne lui tomberait pas tout cru du ciel.

Et soudain, il se retrouva nez à nez avec un visage blanchâtre.

– Qu'est'c'tu fais ?

C'était Pete. Il avait passé sa tête sous la voiture. On aurait dit qu'elle était plantée à l'envers.

– Rien. Je bricole.

– Qu'est'c'qui va pas ?

– Sais pas.

– Comment réparer ?

– Sais pas.

Bill sortit de dessous la Chevy, en glissant sur le dos. Il sentait l'humidité à travers sa veste.

– Je veux une pipe, dit Pete, qui s'était relevé et regardait Bill depuis l'autre côté du toit.

Il ne portait qu'un manteau léger.

– Ah, ouais ?

– J'aime ça, pipe.

– Bien. C'est bien pour toi.

– Tu me suces ?

– Je ne pense pas.

– Après je te suce.

– Non. J'aime pas ça.

– Non ?

– Non.

Bill ne savait trop quoi faire. Il glissa la clé dans sa poche, leva sa lampe et regarda autour de lui. Personne.

– Aujourd'hui, j'ai remarqué que les freins ne marchaient pas bien. J'ai décidé de les inspecter, essaya-t-il d'expliquer à Pete.

– Tu me suces ?

– Je t'ai dit non.

Bill contourna la voiture, braqua sa lampe sur Pete pour l'étudier de plus près. Il avait un énorme bleu sur un côté du visage.

Sa pauvre queue sortait de son pantalon.

Apparemment, Pete avait déjà tenté d'obtenir sa pipe, ce soir, mais comme d'habitude, il avait échoué. Demain matin, il ne se souviendrait probablement de rien de ce qui venait de se passer. Mais si c'était le contraire ?

– Faut que je regarde sous le capot, dit Bill.

Il l'ouvrit et farfouilla un instant dans le moteur. Il dévissa le couvercle du récipient qui contenait le liquide de frein. C'était plein. Il le remit à sa place et referma le capot.

– On dirait qu'il manque du liquide de frein, expliqua-t-il à Pete. Je crois qu'il y a une fuite.

– Je vais avoir une pipe ?

– Tu devrais rentrer. Ça caille.

– Ouais, je vais avoir une pipe.

– Je ne pense pas.

– Non.

– Tu l'as déjà eue.

– Qui a fait ?

– Double Buckwheat. Je vous ai vus.

– Vrai ?

– Ouais.

– Frost doit pas savoir.

– Il ne me viendrait pas à l'idée de le lui dire. Qui suis-je, pour m'interposer entre un homme et sa pipe quotidienne ?

– Je l'ai eue ?

– Ouais. Il fait trop froid pour moi. Je vais me coucher. À la prochaine, Pete.

– D'accord.

Alors que Bill se dirigeait vers sa remorque, Pete ajouta :

– J'ai aimé ça ?

Bill se retourna.

– Comment ? (Puis il comprit.) Ah. Ouais. T'as trouvé ça super.

– Oh... Bien.

– Bonne nuit, Pete.

Bill rentra chez lui. Il jeta un coup d'œil par la fenêtre. Pete disparut de sa vue en traînant des pieds. Quelques secondes plus tard, Bill rouvrit la porte et passa la tête à l'angle du véhicule. L'Épingle s'éloignait d'un air abattu. Il pénétra dans la remorque qu'il partageait avec ses compagnons d'infortune.

Bill récupéra une cuillère à soupe dans sa cuisine et sortit un Coca de son petit réfrigérateur. Une fois dehors, il l'ouvrit et le vida sur le sol. Il retourna à la voiture, souleva le capot et, reprenant sa lampe de poche entre ses dents, il transvasa la quasi-totalité du liquide de frein dans sa cannette.

Il referma doucement le capot.

Frost ne sortit pas de son camping-car.

Pete ne revint pas lui demander de pipe.

Double Buckwheat n'était nulle part en vue.

Pas un nain, pas un Potiron, pas une Épingle ne bougeait. Pas même une souris. Bill gagna alors le bord de la rivière, et il balança sa cuillère très loin, sans aucune raison particulière, sinon que ça lui faisait plaisir. Puis il jeta la boîte de la même façon.

Du liquide s'en échappa tandis qu'elle volait dans les airs. Elle disparut dans les remous.

Il contempla le courant un moment, soupira, et retourna à sa remorque. Une fois à l'intérieur, il se laissa tomber sur le tabouret et alluma le sèche-cheveux pour contempler l'Homme des Glaces.

Il y avait longtemps qu'il n'avait plus besoin de le recouvrir d'une couverture pour réussir à dormir.

35

Le lendemain matin, très tôt, avant l'heure du départ, Gidget réveilla Frost et lui parla des freins de leur Chevy qui, la veille, avaient mal fonctionné.

— Je voulais te prévenir hier soir. Je suis désolée, mais ça m'cst sorti de la tête. Je viens d'y repenser et il fallait que je te le dise tout de suite avant d'oublier de nouveau. Bill m'a demandé de te mettre au courant.

Frost l'écouta en silence, lui tapota gentiment le dos, puis il se leva ct sortit. Il ouvrit le capot. Le jour pointait à peine, mais il y voyait suffisamment. Il vérifia d'abord le liquide de frein. Un instant plus tard, Gidget le rejoignit, en robe de chambre et en pantoufles. De petits nuages de givre s'échappaient de ses lèvres.

— Rien de grave, dit Frost. Il manque simplement du liquide de frein. J'ai un bidon.

— Mais tu ne sais pas si c'est le seul problème ! s'exclama Gidget. Y'a peut-être une fuite. Ça pourrait être dangereux.

— Pas du tout.

— Il est hors de question que tu prennes le volant tout à l'heure. Je me fiche de ce que tu racontes. Il faut d'abord faire vérifier la voiture par un mécanicien !

— Mais enfin, je m'en suis toujours occupé moi-même !

— Sauf que tu ne te débrouilles pas très bien.

— Qu'est-ce que tu en sais ?

– Frosty, mon bébé, si la météo n'était pas aussi mauvaise, je te dirais peut-être de laisser courir. Mais avec ces routes verglacées, je veux que tu attelles la Chevy.

– Vu le temps, ce sera plus risqué de la tirer que de la conduire, chérie.

– C'est non.

– Tu es sérieuse ?

– Oui. Il y a encore beaucoup de verglas, aujourd'hui. C'est même pire qu'hier. Et si tu ne m'écoutes pas, j'irai dans le camping-car et je n'en sortirai plus. Je ne me sens pas bien, de toute façon. En fait, je crois que je suis malade.

– Qu'est-ce qui t'arrive, chérie ?

– Aucune idée. Rien de sérieux, sans doute. Une saleté de microbe quelconque. Ça me soulagerait que tu attaches la voiture, que tu conduises le camping-car et que tu me laisses dormir. Je vais prendre un cachet et me reposer.

– Je n'aime pas que tu avales ces saletés.

– Je fais ça souvent, peut-être ? Je suis malade, Frosty. Je me sens mal. Et tu m'as plutôt épuisée, hier soir.

Frost parut heureux, soudain.

– Je suppose. C'était bien... Est-ce que ça allait, pour toi, sans le gant ?

– Sûr, mon chou. Parfait.

– C'est la première fois que tu me laisses faire ça.

– T'en avais envie depuis longtemps, j'ai dit d'accord, y'a pas de quoi en faire un plat.

– Mais ça t'avait toujours gênée, avant.

– Disons que maintenant, ça ne me gêne plus autant.

– Je suis content de l'apprendre, chérie. Vraiment. Je commençais à me poser des questions. Je me disais que si nous avions un enfant, il te faudrait vaincre cette réticence. Je...

– Frosty, j'adorerais continuer à bavarder, mais je suis en train de geler sur pied, là, et en plus je ne me sens pas bien. Tu vas faire ce que je te demande, tu m'entends ? J'aimerais t'avoir à côté de moi, aujourd'hui. Pour l'instant, j'ai besoin d'un cachet et de quelques heures de sommeil. Et si je me sens mieux, je viendrai m'asseoir à côté de toi.

Frost hocha la tête.

– Si c'est ton désir, c'est d'accord.

Il referma le capot. Il monta dans la voiture, contourna le camping-car et l'y attela. Bill sortit de la remorque de l'Homme des Glaces pendant que Frost s'activait et il se glissa à l'intérieur du camping-car, en jetant des coups d'œil autour de lui pour vérifier que personne ne le voyait.

– Je rentre ! cria Gidget à Frost. Je caille trop !

– C'est bon, chérie. Je te rejoins dans un instant.

Elle retrouva Bill qui se tenait dans la cuisine, les bras ballants.

– Et maintenant ? murmura-t-il.

– Planque-toi dans la salle de bains.

– Donne-moi une bonne raison de le faire... dit-il. Y'a si longtemps.

Elle écrasa ses lèvres sur les siennes.

– Grouille, maintenant ! souffla-t-elle.

Bill traversa la chambre, pénétra dans la salle de bains, et s'accroupit dans le bac de la douche, derrière le rideau.

Il pensa à toutes les raisons qui justifiaient cette folie. Gidget. L'Homme des Glaces. Un boulot. Peut-être que sa mère n'était pas si maligne, après tout. Qu'elle aille au diable avec ses chèques minables ! Au diable, aussi, la cabane de pétards ! C'était Chaplin qui avait foiré, pas lui. Son plan n'avait pas été si mauvais que ça, c'était juste qu'il n'avait pas choisi les bons complices.

Dans la chambre, Gidget ôta ses pantoufles et se coucha toute habillée.

*

Tout le monde attendait que Frost donnât le signal du départ, mais ce matin, il n'en finissait plus. Il se bagarra un bon moment avec l'accrochage de la voiture au camping-car. Finalement, un des nains qui avait râlé haut et fort à cause de ce retard – et qui ne se gênait pas pour dénigrer Frost ouvertement –, grimpa dans son tracteur de semi et démarra au moyen d'un dispositif assez semblable à celui utilisé par Conrad quand il conduisait la remorque de l'Homme des Glaces. En passant à la hauteur de Frost, il lui montra un visage où s'exprimaient résolution et rébellion. On avait là un homme bien décidé à laisser sa marque sur le monde, même si ce n'était qu'une tache de graisse. Pete était installé sur le siège du passager, à côté de lui. Il avait toujours un œil au beurre noir et il avait enfilé un bonnet de laine sur sa tête en pointe – on aurait dit une chaussette sur un cône de chantier.

Quand le nain s'élança dans un éclaboussement de boue et de glace et qu'il prit la route menant au pont, les autres commencèrent à manifester leur impatience à coups de Klaxon et d'appels de phares. L'idée d'avoir un chef de convoi avait perdu de son charme.

Frost finit par monter dans le camping-car par l'arrière et observa Gidget un instant.

Elle dormait déjà. Son visage était aussi doux et angélique que celui d'un bébé. Ses cheveux, repoussés derrière ses oreilles, la faisaient ressembler à une fillette qui va jouer au base-ball.

Il traversa la chambre, referma la porte coulissante et passa dans la salle de bains pour uriner.

Bill, caché par le rideau de douche, l'écouta pisser. Frost tira la chasse puis se lava les mains et sortit.

Dès que Gidget l'entendit s'installer derrière son volant, elle s'empressa de se lever et d'ôter sa robe de chambre. Dessous, elle avait un T-shirt noir à manches longues et un jean si serré que ses poils pubiens donnaient l'impression d'être gros comme des câbles. Elle enfila des chaussures sans lacets, sortit la casquette de base-ball d'en dessous son T-shirt, s'en coiffa, se glissa dans son manteau et s'échappa par la porte arrière, qu'elle referma aussi silencieusement que possible.

Comme tout le monde la regardait, elle marcha d'un pas rapide, sans se cacher, vers un tracteur de semi, et se faufila entre son nez et l'arrière de la remorque de l'Homme des Glaces, espérant que Frost ne l'avait pas entendue sortir du camping-car et surtout qu'il n'avait pas surpris sa fuite dans son rétroviseur. Elle comptait sur le fait qu'il aimait prendre ses aises

214

pour s'installer, attacher sa ceinture, ajuster l'entrejambe de son pantalon, mettre très méthodiquement la clé dans le contact, vérifier tous ses compteurs, puis ses rétros... Frost était un homme d'habitudes. Il faisait toujours tout de la même manière. Au lit aussi. Elle le caressait, il la caressait ; elle le suçait, il la suçait, puis il la montait, agitait sa petite main et finissait. Tous ses coups de reins étaient identiques. Elle se disait que si on les avait comptés, il n'y aurait jamais eu que deux ou trois coups de différence entre une séance et une autre.

Il était comme ça. Il mangeait une parfaite quantité de son pour chier une parfaite quantité de merde.

Elle s'approcha de la fenêtre du conducteur, s'accrocha au rétro extérieur et se hissa jusqu'à lui, presque suspendue par les seins. Au volant, c'était Potty, le gars aux ongles sales.

– Faudra être prudent, aujourd'hui, mon gars, lui dit-elle.

Potty lui sourit de toutes ses deux dents. Son haleine était déjà parfumée à la bière. Quand il la regarda, il lui donna l'impression qu'il avait envie de la dessaper et de la coller contre un chevalet de sciage... Un Potiron était assis à côté de lui. Gidget ne connaissait pas son nom, et d'ailleurs elle s'en foutait. Il jouait avec une vieille spirale anti-moustiques posée sur le tableau de bord. Elle traînait là depuis des années, mais il y avait toujours du brûlé au bout, et le visage du Potiron fut bientôt tout peinturluré de noir. Ce n'était pas la première fois, et Potty trouvait ça drôle. Révélant ses deux dents à Gidget, il ricana :

– Tu t'inquiètes pour moi, aujourd'hui, ma beauté ?

– Frost veut simplement que je dise à tout le monde de faire attention.

– Il part sans toi, là.

– Non. Je prends le volant du semi de l'Homme des Glaces.

– Tu vas tenir le même discours à nous tous, un par un, poupée ?

Gidget sourit :

– Je ne crois pas, non.

Elle vit le camping-car qui tournait devant la remorque de l'Homme des Glaces. Elle ajouta :

– Fais gaffe quand même...

Puis elle sauta sur le sol et s'éloigna sur le côté droit de la remorque.

Potty se retourna vers Potiron.

– Eh, tête de nœud, j'crois qu'elle en pince pour moi, pas toi ? Potiron émit un son indistinct et bava un peu.

– Ah, toi aussi, hein ? reprit Deux Dents. J'parie que ce bon vieux Potty pourra bientôt tremper son biscuit...

Il savait que c'était des conneries, mais au moins ça l'occupait.

*

Gidget monta du côté passager dans le tracteur de semi de l'Homme des Glaces, se glissa au volant, mit le contact et tourna rapidement pour venir se placer derrière le camping-car. Elle dissimula ses cheveux sous sa casquette, sortit ses lunettes de soleil de la poche de son manteau et les cala sur son nez.

Elle roulait aussi près que possible de l'arrière de la Chevy attachée au camping-car, légèrement sur la droite de la route : elle espérait que, de cette façon, Frost serait incapable de la voir dans son rétroviseur gauche et que, dans l'autre, il n'apercevrait que le côté droit de son véhicule...

Bill tira le rideau de douche et sortit du bac. Il entrebâilla avec précaution la porte de la salle de bains et jeta un coup d'œil. Il vit Frost assis à son volant et le miroir à maquillage sur le tableau de bord. Il veilla à ce que l'ouverture de la porte restât aussi étroite qu'une fente.

Il prit une profonde inspiration. Son cœur battait si fort qu'il avait l'impression que Frost pouvait l'entendre. Quelque chose rugissait dans ses oreilles. Pourtant, il ne pensa pas une seconde à faire machine arrière. Il lui fallait cette femme – et l'Homme des Glaces. Il ne voulait plus voir Frost passer une seule seconde avec elle. Le Dieu Tout-Puissant lui aurait-il ordonné d'arrêter maintenant, cela n'y aurait rien changé, il ne le pouvait pas et n'en avait aucune envie. Le gouffre de l'Enfer lui-même ne signifiait plus rien pour lui. Il n'en avait pas peur, le seul gouffre qu'il désirait était celui que Gidget lui ouvrirait pour le laisser entrer en elle, et tout, alors, se mettrait en place et il plongerait, depuis le ciel, dans une substance merveilleuse et douce qui, finalement, se changerait en un feu éternel.

Frost ralentit et Bill sut qu'ils arrivaient au dos d'âne, juste avant le pont. Sa tête tournait, aussi se força-t-il à respirer profondément, en essayant de ne faire aucun bruit. Le camping-car s'immobilisa presque. Bill, alors, ouvrit la porte à la volée et bondit. Tandis qu'il fonçait vers lui, il comprit que Frost l'avait aperçu dans le miroir et qu'il allait se retourner, mais c'était hors de question – il ne voulait pas voir le visage de sa victime en face. Son propre reflet était déjà assez pénible !

Il se précipita sur lui et il appuya ses coudes sur ses épaules pour l'empêcher de bouger, et Frost cria : *Bill !* mais il ne répondit pas. Il glissa sa main gauche autour de son cou, mais le vieillard laissa tomber son menton, par pur automatisme, si bien que Bill ne réussit pas à le bloquer vraiment.

Frost avait un pied sur le frein, et tandis que Bill essayait de l'étrangler et de mieux positionner son bras, Frost freina avec une telle violence que Bill entendit les os de sa jambe se briser net. Bill enfonça ses doigts dans les narines de son adversaire qui émit un bruit bizarre, et il réussit enfin à placer correctement son bras gauche, à poser sa main gauche dans le creux de son coude droit et sa droite derrière la tête de Frost. Le coude vers l'avant, il commença à pousser, comme Gidget le lui avait appris.

Frost était un dur à cuire. Il était fort. Il réussit à se soulever avec Bill accroché à lui, mais sa jambe était fichue et il fut incapable de rester debout. Il retomba sur son siège. Le camping-car s'engagea sur le dos d'âne et repartit en arrière. Frost poussa sur sa bonne jambe et essaya de bloquer contre le siège celle qui était blessée, et quand il y parvint, Bill noua ses jambes autour de sa taille. Ils tombèrent à la renverse sur le plancher. Frost chercha à saisir Bill par-derrière, mais en vain.

Et soudain, heurté par le tracteur de semi de l'Homme des Glaces, le camping-car s'envola au-dessus du dos d'âne, avança presque jusqu'au pont, puis vira à droite et se mit à glisser le long de la pente comme sur un moule à gâteaux beurré.

Gidget les poussait de derrière.

– *Pas maintenant !* hurla Bill, comme si elle pouvait l'entendre.

Il y eut un nouveau choc, et leur véhicule fit une autre embardée à droite et fila vers la rivière. Il dérapa sur la rive et frappa la surface de l'eau ; l'arrière de la Chevrolet fixée à son attelage se souleva et, à son tour, retomba violemment dans le courant, après avoir raclé la berge.

Quand tout s'arrêta, Bill était collé contre le pare-brise, son bras toujours passé autour du cou de Frost, et ils coulaient. Comme Frost avait cessé de se débattre, Bill le lâcha. Le camping-car se redressa et commença à flotter, mais son arrière s'enfonça sous le poids de la voiture, toujours accrochée à lui. Bill se retint au siège du conducteur quand l'avant se souleva. Frost, inconscient, alla frapper contre la porte de la chambre, sa jambe cassée repliée vers le haut. Bill se rua vers la portière côté conducteur, réussit à l'ouvrir d'une secousse et se jeta dans la Sabine.

L'eau était un concentré de toutes les aiguilles du monde et toutes vinrent se planter dans son corps en même temps. Il perdit conscience un instant, ne sachant plus s'il était vivant ou s'il était mort. Il réussit pourtant à se redresser, les genoux appuyés sur quelque chose de solide. Il baissa les yeux et découvrit que c'était le pare-brise de leur véhicule, à travers lequel il aperçut Frost qui tournait et tournait dans l'eau, la bouche ouverte, les bras écartés et sa jambe cassée enroulée autour de l'autre.

Ses yeux morts le fixaient.

Le camping-car descendit vers le fond et aspira Bill. Mais le bouillonnement de la rivière le propulsa de nouveau vers la surface. Il aperçut le tracteur de semi de l'Homme des Glaces. La cabine avait quitté la route et descendait vers l'eau. Gidget essayait de s'échapper par la fenêtre. La remorque, elle aussi, glissait lentement sur la glace, derrière elle, et se mettait en travers au ralenti. Elle effectua un demi-tour complet sur elle-même et son arrière plongea dans la rivière, entraînant le tracteur de semi avec elle.

À cet instant, Bill comprit que Gidget n'avait pas poussé trop tôt le camping-car, sous l'effet de la panique. Non, elle avait eu l'intention de les tuer tous les deux, Frost et lui, au moment où elle les tenait ensemble. Elle devait y penser depuis le début.

218

Sauf que ça n'avait pas marché comme elle voulait. La remorque l'avait trahie.

À cette idée, Bill se sentit perdre pied – même le choc de l'eau glacée ne lui avait pas fait cet effet-là. La rivière le ballotta, le fouetta, l'entraîna sous la surface, et lorsqu'il réapparut à l'air libre sur la crête d'une colline d'écume brunâtre, il vit la casquette de base-ball de Gidget qui arrivait vers lui. Il se rendit compte que la remorque était remontée, son cul pointé vers lui. Il entendit une explosion et tout l'arrière se déchira et s'ouvrit, et le congélateur de l'Homme des Glaces, qui s'était détaché sous l'effet des secousses, fusa avec la puissance d'un boulet de canon. Il rebondit sur l'eau et prit immédiatement de la vitesse sur le courant.

La remorque éventrée s'emplit rapidement d'eau et la rivière affamée l'avala avec un sinistre bruit de succion. Le véhicule de Potty s'était arrêté sur le pont. Un Potiron indiquait le spectacle du doigt. Bill, entraîné par les tourbillons, ne tarda pas à les perdre de vue.

Il plongea et remonta une bonne douzaine de fois, toussant et crachant en quête d'un peu d'air ; il perdit la sensation de son corps, et alors qu'il franchissait une courbe de la rivière, poursuivi par le congélateur, il vit la tête blonde de Gidget émerger de l'eau tel un bouchon.

Emportée vers lui, elle nageait comme une forcenée.

36

Bill fut roulé contre la rive. Il tenta de s'y accrocher et d'y grimper, mais la rivière ne voulait pas en entendre parler. Il réussit pourtant à coincer son bras dans des racines qui tinrent bon.

Gidget arrivait dans sa direction. Quand elle passa à sa portée, il essaya de la frapper avec son autre bras, mais il la rata et elle le percuta. Elle saisit à son tour les racines auxquelles il se retenait. Sous leurs deux poids conjugés, celles-ci commencèrent à se détacher lentement de la rive.

– Salope ! hurla-t-il. Salope !

Elle lui lacéra le visage avec ses ongles.

Et puis il y eut une ombre, au-dessus d'eux.

Ils se retournèrent en même temps. C'était le congélateur de l'Homme des Glaces. La courbe de la rivière l'avait propulsé à grande vitesse, comme eux, contre la rive où ils se trouvaient.

Gidget eut la présence d'esprit de s'écarter d'un coup de pied. Mais l'appareil percuta Bill, et quand il s'éloigna et rebondit dans le courant, le jeune homme était collé contre la berge, toujours accroché aux racines par un bras, mais son visage était écrasé.

Ses doigts glissèrent et il coula. Il ne savait même plus s'il était encore en vie. L'eau le fit tourbillonner sur le fond, il tendit la main au hasard, essaya de se retenir à quelque chose par réflexe, n'importe quoi – et il trouva. C'était petit et lourd. Il roula dans la vase avec l'objet et tandis que l'eau envahissait ses poumons, il comprit qu'il venait de récupérer la clé anglaise qu'il avait jetée dans la Sabine des siècles auparavant... Il trouva l'idée presque amusante. L'outil qui avait envoyé Conrad à la mort !

Il essaya de rire et l'eau termina de prendre possession de ses poumons.

Le congélateur continua sa course et les racines auxquelles se tenait Gidget cédèrent. Emportée dans son sillage, elle réussit à l'agripper. Avec des mains si engourdies qu'elle les sentait à peine, elle se hissa sur l'épave qui dansait sur l'eau et s'y installa à califourchon. La violence du courant, les chocs et les remous avaient déchiré son jean, dont il ne restait plus que des bandes bleues autour des mollets. Son T-shirt était remonté sur son dos.

Elle colla son visage contre la vitre et distingua l'Homme des Glaces. Il avait bougé. Il gisait sur le côté, la tête tournée comme pour la regarder d'un œil.

Deux hommes âgés avaient reculé leur pick-up sur la berge pour jeter leurs ordures dans la rivière. Ils balançaient leurs sacs de détritus dans le courant en bavardant.

Quand ils virent passer le congélo et la blonde, l'un d'eux, son sac poubelle à la main, s'exclama :

– Bon sang, Willy, je vois son cul !

– Un peu, ouais, rigola l'autre.

Gidget s'éloignait rapidement, et ils la suivirent des yeux jusqu'au moment où elle disparut dans la courbe suivante de la rivière.

CINQUIÈME PARTIE

UN NOUVEAU CLIMAT

37

– Ainsi, vous avez dérapé sur la glace, en quelque sorte, et vous avez embouti le camping-car?

– Oui. C'est entièrement de ma faute.

– Nan. Nan. Ça arrive.

Le shérif versa une autre tasse de café à Gidget et fit mine d'ajuster la couverture, jetant au passage un coup d'œil en coin sur ses seins qui tendaient le tissu de son T-shirt noir trempé. Tandis qu'il tripotait la couverture, Gidget changea de position sur sa chaise et croisa ses longues jambes. Les bouts de jean s'y accrochaient toujours. Elles étaient couvertes de boue et de petits morceaux de branches et de feuilles, mais le flic trouvait quand même cette fille à son goût.

– C'est votre fête foraine?

– Non, elle appartient à mon mari. J'ai bien peur que ce soit terminé, maintenant. Je ne veux plus rien avoir à faire avec ça. Seigneur, pas après ce...

– Et l'autre gars?

– Il travaillait pour lui. Ils étaient censés parler boulot. Tout ça, c'est de ma faute! Doux Jésus! Est-ce qu'ils l'ont retrouvé?

– Pas encore. Vous n'y êtes pour rien. C'est cette saleté de temps. N'oubliez pas ça, ma petite dame. Le temps. Vous n'êtes pas responsable.

– Merci, shérif... Comment pourrais-je jamais vous remercier?

– C'est la rivière qu'il faut remercier.

– Je ne me souviens pas de grand-chose.

– La Sabine vous a déposée, sur votre congélateur, près d'un camp de pêcheurs. Vous y étiez accrochée comme une malade. Deux nègres vous ont découverte et vous ont amenée chez nous. À propos de nègres, celui à deux têtes, dans votre groupe, c'est pour de vrai ou c'est un trucage ?

– Ce sont des frères siamois.

– Ah, je croyais que c'était une arnaque ! Au fait, on a récupéré aussi votre congélateur. Cet homme, à l'intérieur, il est réel, lui aussi ?

– Je ne crois pas.

– Ça pourrait créer des problèmes.

– Écoutez, shérif, je comprends que vous fassiez respecter la loi, mais mon mari a acheté cette chose dans une autre fête foraine. Il l'a depuis des années. C'est juste une attraction. Si par hasard ça a jamais été une personne humaine, elle est très vieille et ne compte plus pour quiconque.

– Il faut qu'on relève ses empreintes.

– Je sais. Vous pouvez, bien sûr. Mais je vous assure que cet Homme des Glaces n'a plus de valeur que pour moi. Si on me le confisque, je n'aurai plus aucun moyen de gagner ma vie.

– Mais vous venez de dire que vous ne vouliez plus entendre parler de cette fête foraine ?

– C'est exact. Je souhaite juste garder cette attraction-là, si vous me la laissez.

Elle bougea légèrement les épaules – et la couverture glissa, révélant la forme de ses seins sous son T-shirt, mais aussi une bonne partie de ses longues jambes et le bas de ses fesses.

– Je suis prête à faire n'importe quoi pour éviter ce genre de paperasserie, shérif... ajouta-t-elle dans un souffle.

– Ah ouais ?

– Ouais.

Elle sortit de sa couverture.

Le policier alla fermer à clé la porte de son bureau.

38

Elle trouva sans difficulté la maison de Bill, même en pleine nuit.

Il lui en avait donné une bonne description. Juste en face d'elle, de l'autre côté de la nationale, s'élevait une baraque en planche qui abritait jadis un commerce de pétards.

Gidget se gara dans la cour de derrière avec la fourgonnette qu'elle s'était offerte grâce aux économies de Frost déposées dans une banque d'Enid, Oklahoma. Elle transportait à l'arrière le congélo – désormais débranché – qui contenait l'Homme des Glaces.

Gidget enfila des gants, et fractura une fenêtre. Lorsqu'elle l'ouvrit, l'odeur qui l'assaillit lui souleva le cœur. Elle retourna à sa voiture en essayant de reprendre sa respiration. Elle y trouva un mouchoir qu'elle plaqua sur son nez, puis elle revint et enjamba vaillamment le rebord pour pénétrer à l'intérieur.

Elle fit courir le rayon de sa torche sur ce qui l'entourait. Le lit noirâtre était recouvert d'une masse graisseuse. Quand elle s'approcha, la puanteur empira. Ça ne sentait pas seulement la mort, il y avait aussi un parfum sucré, comme si on avait voulu faire de la confiture avec la pourriture.

Dans la lumière, elle aperçut un crâne qui baignait dans une matière goudronneuse. Au sommet de celui-ci trônait une touffe de cheveux gris. Bill avait emballé le cadavre de sa vieille dans des sacs poubelle, mais des rats les avaient déchirés, avaient exposé son corps et l'avaient rongé par endroits.

Elle passa dans le salon. Au bout d'une demi-heure de recherches, elle découvrit les chèques de la mère de Bill au fond d'un tiroir de bureau. Elle continua à fouiller et récupéra encore un vieux chéquier et certaines lettres où figurait sa signature.

Elle fit disparaître le tout dans une poche de son manteau et repartit par où elle était venue.

Elle vérifia la boîte aux lettres – il n'y a pas de petits profits –, mais elle ne contenait qu'un annuaire.

Elle le reposa dans la boîte et s'en alla.

39

Quelques mois plus tard, le temps se remit au beau, et Gidget reçut les chèques des diverses assurances auxquelles Frost avait souscrit. Elle les toucha dans une banque de Tyler, Texas, par une chaude journée de juillet.

Elle avait déjà imité la signature de la mère de Bill et elle avait récupéré son argent chez un prêteur sur gages de Beaumont. Elle n'avait pas réussi à obtenir la totalité de la somme, mais, au moins, il ne lui avait pas posé de question. Elle s'était coiffée d'une perruque noire et s'était collée quelques poils noirs bien visibles sur la lèvre supérieure. Elle avait enfilé sous sa robe deux chambres à air d'occasion achetées dans une casse automobile. Peut-être que le gars se souviendrait d'elle – mais dans ce cas, il décrirait une grosse dondon aux cheveux noirs et à moustache, pas une blonde incendiaire à la taille de guêpe...

La semaine suivante, elle se rendit à Nacogdoches, au nord de Houston, dans un quartier où elle avait vu des immigrants clandestins assis sur le trottoir, à attendre que des gringos leur proposent du boulot.

Elle arrêta sa fourgonnette à la hauteur d'un jeune Mexicain de toute beauté.

– Travail ? fit-elle.

– *Sí.*

Elle lui fit signe de monter. Il obéit. Une fois assis à côté d'elle, il glissa des coups d'œil furtifs vers ses jambes longues et bronzées et son mini-short kaki.

Comment les poils qui s'en échappaient pouvaient-ils avoir cette couleur rouille alors que les cheveux de la fille étaient si blonds ? se demanda-t-il.

Quand il se retourna, il vit le congélateur à l'arrière de la voiture et il en conclut qu'elle avait besoin de quelqu'un pour le déménager. Elle l'emmena à une petite maison qu'elle avait louée dans la campagne. Avec l'aide du jeune homme, elle posa un panneau de contreplaqué au cul de la camionnette pour faire glisser le congélateur dans le jardin.

Lorsqu'il découvrit ce qu'il contenait, le gars sursauta.

– C'est okay, dit-elle. Tu comprends « okay » ?

– *Sí*... Mais no okay.

– Bien sûr que oui. (Elle fourra la main dans la poche de son short et en sortit un billet de cent dollars qu'elle lui tendit.) Okay ?

Il se dit que c'était peut-être okay, en effet.

Elle fit un saut dans la maison et revint avec un marteau, avec lequel elle brisa la vitre du congélateur. L'odeur, à l'intérieur, était humide, mais elle n'avait rien de fétide. Elle rappelait la paille mouillée. Indiquant du doigt l'Homme des Glaces au Mexicain, elle fit quelques gestes explicites. Le jeune homme déglutit, pensa aux cent dollars, considéra les longues jambes de sa patronne et son sourire. Il se servit du marteau pour enlever le reste du verre, puis il attrapa le cadavre. Le corps ressemblait à une bûche. Il était très lourd. Quand il le sortit de sa boîte, il resta parfaitement rigide.

Il la suivit avec leur étrange fardeau jusque dans le garage qui tombait en ruine. À l'intérieur, il y avait deux chevalets. Elle l'envoya récupérer le contreplaqué. Il le posa dessus pour faire une sorte de table. Puis elle lui tendit une scie électrique branchée sur une rallonge qu'elle déroula jusqu'à la maison.

À son retour, elle imita le bruit de la scie avec la langue – un spectacle qui en valait la peine – et elle lui montra l'Homme des Glaces.

– *No*... dit le Mexicain en secouant la tête.

Alors, elle sortit une autre coupure de cent dollars de sa poche. Le type regarda l'argent avec avidité, puis il soupira et sembla se détendre.

Il prit le billet, le rangea avec le premier et découpa le pied droit de l'homme pétrifié. Dans un coin du garage, il y avait un appareil surmonté d'une goulotte, déjà branché à une autre rallonge. D'un geste, elle lui fit comprendre qu'il devait mettre le morceau dedans. Il obéit, elle tourna un bouton et on entendit un bourdonnement.

Une fois broyé, le pied de l'Homme des Glaces fut recraché sur le sol sous forme de copeaux. Gidget se recula comme pour éviter d'être empoisonnée par leur contact.

— C'est un artiste de Cisco, Arkansas, qui l'a fabriqué, dit-elle.

Le Mexicain ne la comprit pas. Il lui adressa un regard interrogateur.

Elle rit, révélant ses jolies dents.

— Si tu parlais anglais, lui dit-elle, je te donnerais un conseil. Le fric des assurances, c'est vachement mieux qu'un pantin en bois ! Et même qu'un homme en chair et en os, d'ailleurs. Tu m'entends, mon mignon ?

Le jeune type la fixa et sourit.

— Tu es si timide... T'as envie de me baiser, n'est-ce pas ?

Nouveau sourire. Puis il se remit au travail.

Quand il eut terminé, il récupéra les copeaux dans un sac en plastique noir, qu'il ferma avec un fil de fer.

Alors, elle l'invita chez elle et lui servit à boire.

Un peu plus tard, elle se l'envoya sous la douche, et puis dans son lit.

Tout le reste de la journée, l'expression du Mexicain disait qu'il était tombé sur la plus merveilleuse des mines d'or de ce monde.

Ils partirent le lendemain matin, abandonnant derrière eux la maison, le congélateur, le broyeur et les chevalets. Elle avait pris le volant. Le Mexicain était assis devant, à côté d'elle. Le sac en plastique avec la sciure de l'Homme des Glaces était posé sur le plancher, à l'arrière.

Ils roulèrent toute la journée à travers le Texas. Il faisait très chaud, mais Gidget aimait conduire avec la clim coupée et les vitres ouvertes. L'air brûlant faisait somnoler le jeune homme. Sa nuque était moite et son dos collait au siège.

231

À la sortie d'El Paso, ils se retrouvèrent sur une ligne droite sans la moindre circulation. Elle lui fit comprendre ce qu'elle voulait.

Il sortit le torse par la fenêtre, ouvrit le sac et le secoua. Les copeaux emportés par le vent tournoyèrent un instant dans le paysage aride du Texas et se perdirent dans les vagues de chaleur et la poussière soulevée par les pneus de leur véhicule. Quand le sac fut vide, il le lâcha. Il s'envola derrière eux – un esprit de plastique noir qui prenait la fuite.

Il se rassit. Gidget l'observa un instant. Elle avait des lunettes de soleil, mais il voyait ses yeux derrière ses verres où se reflétait aussi son propre visage. Elle lui sourit, puis s'intéressa de nouveau à la route.

Il suivit son regard.

Le cadavre d'un animal pourrissait, sur le bas-côté de la route. Au moment où ils le dépassèrent, une nuée de vautours s'envola dans une violente explosion d'ailes sombres.

Cet ouvrage a été réalisé par

FIRMIN DIDOT

GROUPE CPI

Mesnil-sur-l'Estrée

pour le compte des Éditions Murder Inc
en octobre 2001

Imprimé en France
Dépôt légal : novembre 2001
N° d'impression : 57162